LA OTRA CARA DEL
DOLOR
cómo superar la muerte de su cónyuge

LA OTRA CARA DEL
DOLOR
cómo superar la muerte de su cónyuge

SUSAN ZONNEBELT-SMEENGE Y ROBERT DE VRIES

LIBROS DESAFÍO®

Edición en español, Copyright © 2004 por Libros Desafío

Título original en inglés: *Getting to the Other Side of Grief: Overcoming the Loss of a Spouse*
Autores: Susan Zonnebelt-Smeenge y Robert C. De Vries © 1998
Publicado por Baker Books,
filial de Baker Book House Company
Grand Rapids, Michigan 49516
EE.UU.

Título: *La otra cara del dolor: cómo superar la muerte de su cónyuge*
Traducción: José Luis Martínez
Revisión de estilo: Juan Carlos Martín
Diseño de cubierta: Josué Torres

Para las citas de la Biblia hemos recurrido a la Nueva Versión Internacional ©
1999 por la Sociedad Bíblica Internacional, excepto en caso donde se especifican
otras versiones.

Publicado por

LIBROS DESAFÍO
2850 Kalamazoo Ave SE
Grand Rapids, Michigan 49560
EE.UU.
info@librosdesafio.org
www.librosdesafio.org

ISBN 1-55883-128-2

Impreso en los EE.UU.

Printed in the United States of America

DEDICATORIA

En recuerdo amoroso de nuestros cónyuges fallecidos

Doctor Richard Smeenge
y
Charlene K. De Vries

cuya vida y muerte nos enseñaron tantas cosas.

Con aprecio y dedicación a nuestros hijos

Sara,
y
Brian, Christine y Carrie

y padres
Norma y Bill Zonnebelt

quienes nos acompañaron en la transición
hacia un nuevo comienzo en nuestras vidas.

CONTENIDO

Del lamento a la danza

Que dance en la presencia de Dios, dicen,
Pero el duelo paraliza mi corazón.

Que me deleite en la misericordia de Dios, insisten
Pero el dolor dejó sin paladar mi vida.

Mi compañera ha muerto.
Esta es mi noche oscura del alma.

Vienen los días, llegan los meses.
Torpe y pesada se renueva la mañana.

Grande es mi duelo; llora mi alma:
«¿Por qué a mí? ¿Por qué, oh Dios?»

«Tú no, hijo mío. Tú no.
Es tu amada quien ha muerto. Tú no.

Yo te di vida. Yo te di gozo.
Te lo puedo dar de nuevo».

Sábado.

Descansa ahora y vuelve a empezar.

El sol brilla con más fuerza, un poco más.
El dolor de la tumba es ya el poder de la gracia.

Paso a paso, Dios obra su milagro.
«Volverás a danzar, hijo mío, volverás».

Eres tú, Oh mi Dios, tú solo,
Quien convierte mi lamento en danza.

R. De Vries

PREFACIO

La muerte es un suceso muy común. Cada día muere gente. Pero cada muerte es única, desgarra vidas entretejidas.

El fallecimiento de un cónyuge es especialmente difícil. Has perdido a tu pareja. Los sentimientos de abandono o de pérdida pueden abrumarte. Quizá te invadan algunos sentimientos de culpa o de pesar. La experiencia de duelo es única para cada persona.

Este libro lo han escrito personas que atravesaron dicha experiencia por el fallecimiento del cónyuge.

Escribimos principalmente para aquellos que todavía no se han jubilado, para viudos y viudas jóvenes. De ninguna manera pretendemos decir con eso que la pena resulta más fácil para los de mayor edad. Ellos también experimentan fuertes sentimientos de pérdida, soledad y confusión y pueden beneficiarse con la lectura de este libro. Pero los viudos y viudas más jóvenes enfrentan además asuntos adicionales que trataremos más directamente.

Escribimos tanto para viudos como para viudas. El sexo juega su papel en la forma en que manejamos ese proceso de luto, ya que el varón y la mujer lo enfrentan en formas específicas propias de su género. Decidimos trabajar juntos en la elaboración de este libro con el fin de examinar el duelo desde ambas perspectivas.

También escribimos sobre la base de nuestras propias experiencias personales y profesionales. Susan es una psicóloga clínica titulada que trata las situaciones de duelo y pérdida de forma regular en su consultorio. Robert es un catedrático y pastor que lidia con esas situaciones en el contexto pastoral. Ambos hemos experimentado la muerte de nuestro cónyuge. La escritura de este libro estuvo de alguna manera motivada por el deseo de proseguir con nuestro proceso personal hacia la plenitud. No queremos que nuestras experiencias personales predominen en el libro, aunque reconocemos la importancia de darlas a conocer.

La colaboración en este libro es el resultado de nuestro trabajo personal con esta cuestión. Después del fallecimiento de la esposa de Robert, él escribió una serie de meditaciones breves sobre el tema recogidas en forma de librito. Aunque nunca se publicó formalmente, se llegaron a distribuir más de mil ejemplares. Una amiga de Susan le entregó un ejemplar de dicho librito cuando su esposo estaba en su fase terminal. Unos seis meses después, aunque nunca se habían visto, Susan le escribió a Robert una nota preguntando si estaría interesado en conversar sobre cómo los profesionales como ellos atravesaban su duelo personal mientras aconsejaban a otros en su propio proceso de luto. Después de una serie de conversaciones, nos animamos a escribir este libro.

Escribimos desde una perspectiva cristiana. Hemos encontrado que nuestra fe cristiana es un ingrediente esencial en el manejo de nuestro dolor de una manera saludable. Sin embargo, esto no quiere decir que las personas de otras creencias no se puedan beneficiar de lo que decimos aquí. La muerte resulta familiar a todos. El duelo es una consecuencia natural de la muerte, y mucho de lo que decimos aquí le puede ayudar a cualquiera que esté procurando enfrentar su proceso de luto.

Confiamos en que tú personalmente te beneficies de la lectura de este libro. Cada capítulo considera aspectos específicos del proceso del dolor por pérdida tanto desde la perspectiva psicológica como de la espiritual. Susan es sobre todo responsable de las secciones que tienen que ver con los procedimientos saludables para el manejo del proceso de duelo. Robert es principalmente responsable de las reflexiones cristianas sobre esos asuntos. También lidiamos con algunas de las cuestiones propias de las diferencias sexuales en los aspectos que pensamos son importantes.

La metáfora principal de este libro es la de un *recorrido*. Con esto no sugerimos que haya etapas o fases en el proceso de la pena, sino más bien que hay algunas señales importantes a lo largo del camino que ayudan a los que enviudan a realizar ciertas tareas necesarias con el fin de conocer y experimentar la otra cara del dolor.

Conviene que el lector tenga en cuenta que la escritura de este libro se llevó a cabo al tiempo que tenía lugar nuestro proceso de duelo en nuestro recorrido hacia la sanidad y la plenitud. Al entablar nuestra amistad, compartimos el deseo de escribir este libro. Después de resolver en gran medida nuestro dolor por la pérdida del cónyuge, empezamos a salir juntos y terminamos casándonos en agosto de 1997. Aunque nuestro recorrido nos llevó a las segundas nupcias, no queremos decir que ese sea necesariamente el resultado deseado para muchos de los que enviudan. Tratamos en este libro la posibilidad de volverse a casar, como una opción, pero queremos que sepas que hay muchas alternativas buenas para empezar un nuevo capítulo en tu vida una vez que has completado el proceso de duelo.

Los nombres de las personas relacionadas con nosotros son reales y los usamos con su permiso. En otros casos hemos usado seudónimos para proteger la privacidad de otros, aunque las situaciones son reales.

Queremos dar las gracias a Bill y Norma Zonnebelt (los padres de Susan), a la enfermera Pat Cassell y al doctor Art Jongsma por su apoyo y ánimo al escribir, y por su lectura del manuscrito original. Extendemos nuestro especial aprecio por sus valiosos comentarios a Doug y Carol Luther (de la organización de Servicios para las Personas Viudas, en Grand Rapids, Michigan), y a la enfermera C. J. Weidaw. Además, Susan expresa su gratitud al grupo de viudos que se unieron a ella en su proceso a través del dolor, y por la información aportada por los miembros de los Servicios de Viudas Jóvenes de Grand Rapids.

1

※※

¿Por qué pasamos por el luto?
Elige tú el camino

A las 11:15 de la mañana de un domingo de octubre, falleció Char, la esposa de Robert. Había entrado en coma sobre las 3:00 de la madrugada. A la hora del desayuno, él llamó a los tres hijos y a la mamá de Char para que acudieran a su lado. Poco antes del mediodía ya había muerto.

Cerca de un año después, a las 5:55 de la tarde de un martes, murió Rick, el esposo de Susan. Sara, su única hija, estaba en el aeropuerto por la demora de un vuelo de regreso de la universidad. Los padres de Susan iban camino al aeropuerto para recoger a la nieta. Susan se encontraba sola en casa y Rick falleció serenamente en sus brazos.

Se acaba una vida, comienza un proceso de duelo. La muerte de un cónyuge es un proceso en el que nuestra capacidad de elección no cuenta en absoluto. Algunos, sobre todo los varones, pretenden no sufrirlo pero, en general, la pena pasa por encima del viudo como un torrente durante los días y semanas que siguen a la muerte del ser amado.

Cuando en este capítulo preguntamos por qué pasamos por el luto, no estamos sugiriendo que puedas ignorar la avalancha de emociones, dolor y trauma que acompaña a la muerte de un cónyuge. La cuestión es cuánto hay de *intención* en este proceso. ¿Puedes, o quieres, ver que el duelo es un proceso que te puede llevar a una salida? ¿Puedes aceptar el dolor del luto como un proceso que te ayudará a vivir y amar de nuevo?

La psicóloga dice

Expresa tu dolor; la tristeza que no se da a conocer
permanece en el corazón y lo quebranta.

Shakespeare, *Macbeth*

Duelo con propósito

Una de las cuestiones más importantes a la que se enfrenta un viudo o
viuda es en qué consiste en realidad esa pena. Quizá tú no te sientas inclinado
a enfrentar el duelo de forma tan analítica, pero debes tratar directamente la
realidad de la viudez para tu bienestar mental y emocional. A menos que
enfrentes con valor el proceso del luto, no llegarás a una resolución saludable
ni serás capaz de seguir adelante. Si no tratas directamente con el duelo te
arriesgas a quedar estancado en ese proceso por largo tiempo.

Probablemente has escuchado a muchos decir algo así: «Ten paciencia,
poco a poco, con el tiempo mejorarán las cosas». No, no es una cuestión de
tiempo. Nosotros hemos observado tanto en el tratamiento clínico como a través
de la experiencia personal que el tiempo por sí solo no sana. Si desarrollas una
actitud pasiva hacia el proceso del luto no seguirás fácilmente adelante. Tienes
que encontrar dentro de ti mismo el valor para enfrentar el dolor de la pérdida.
El sufrimiento es muy real, porque la muerte es dolorosa. Este libro ha sido
diseñado con el propósito de que enfrentes el dolor con propósito. Nosotros
hemos pasado por ese duelo y confiamos en lograr animarte a enfrentar los
sentimientos de vacío, tristeza y dolor de tal manera que encuentres el camino
a través de ellos para vivir de nuevo una vida de plenitud.

La cuestión del dolor

Examinemos con más atención la cuestión del dolor. Algunas personas
tratan de no entristecerse. A otros les puede parecer a primera vista que han
conseguido evitar el dolor intenso y el quebranto del duelo. Parece como si se
hubieran incorporado pronto a la normalidad de la vida, llenando su vida con
la actividad de las ocupaciones diarias, nuevos proyectos de trabajo,
preocupaciones familiares, citas con otras personas y posibles segundas nupcias.
Harán casi cualquier cosa para apartar su atención de la persona fallecida.
¿Funciona? Rara vez, por no decir nunca, hemos visto a alguien llegar a una
resolución saludable del luto por medio de evitar del dolor. El dolor emocional
causa sufrimiento, pero eso no quiere decir que sea perjudicial. La estrategia
de evitar no puede llevar a una solución permanente y eficaz. ¿Nos sentimos a
veces tentados a huir del dolor? ¡Por supuesto! La pena por la pérdida puede
ser tan dolorosa y abrumadora que nos llenamos de pánico. Pero al final, si

queremos llegar a experimentar una paz más profunda no hay otra solución que enfrentar el dolor.

¿De dónde procede este dolor? El duelo es algo natural después de la pérdida del ser amado. El sentido de pérdida es en sí mismo fuente de gran parte del dolor. Significa que algo o alguien de gran valor para ti ya no está. Cuanto más hayas amado o valorado a la persona, tanto mayor va a ser el dolor. Si no tenías amor o interés, no habrá dolor. John Bowlby, un siquiatra reconocido por sus investigaciones en el campo del desarrollo de la personalidad, verificó que la magnitud del dolor y la tristeza está directamente relacionada con el nivel de relación que se tiene con el fallecido.[1] Si tú no estabas muy encariñado con la persona fallecida, si no tenías pensamientos o sentimientos por ella, entonces la muerte no va a importarte mucho después de todo. Cuando lees las notas necrológicas en el periódico, en la mayoría de los casos te producen escasa reacción emocional. Tú no los conoces, y no estás apegado a ellos.

Sin embargo, debido precisamente a que tienes sentimientos profundos por tu pareja, su muerte te causa gran dolor. Apenarse no solo confirma la importancia de la relación, sino que también te da una ocasión para reconocer el valor de la persona que ha muerto. C. S. Lewis, en su libro *A Grief Observed*, dice: «El duelo es una parte universal e integral de nuestra experiencia de amor. Le sigue a la muerte con tanta normalidad como el matrimonio le sigue al noviazgo».[2] Thomas H. Holmes y Richard H. Rahe, que desarrollaron la Escala de Evaluación de Reajuste Social para evaluar el estrés asociado con sucesos específicos de la vida, consideran la muerte de un cónyuge como el estrés más perturbador de la vida.[3] Tú no planeas quedarte sin tu cónyuge; eso se supone que va a ocurrir al final de la vida. Ahora tus planes con tu pareja se han acabado, lo que representa una gran pérdida. Nosotros dos, que hemos pasado por esa experiencia, no sentíamos como si nos hubiesen arrancado nuestro futuro cuando murieron nuestros cónyuges. Tuvimos que llorar por la muerte de nuestras esperanzas y sueños antes de que pudiéramos empezar a levantarnos de nuevo.

Cómo tratar con tu dolor

Tienes que tomar una decisión: ¿Cómo vas a vivir tu dolor? Este no es un dolor cualquiera. La pena del luto es el dolor de la pérdida combinado con otras emociones como la angustia, el sufrimiento y el pesar. Una viuda dijo: «Cuando mi esposo murió, fue como si un gran árbol hubiera caído en el bosque y hubiera dejado un lugar muy vacío debajo del cielo». De repente experimentas un gran agujero que antes no estaba ahí. No sólo queda un gran agujero en tu vida, sino que ya no te sientes completo. Echas de menos una parte de ti mismo.

Una reacción común a la muerte del cónyuge es sentir que una parte íntima de ti mismo ha muerto. Y es muy cierto que hay una parte de ti mismo que ha muerto, esa parte que estaba definida por la relación con tu compañero o compañera. Pero con tiempo y diligencia llegarás a darte cuenta de que *tú* no has muerto, que estás entero y completo en ti mismo. Sabes que «uno» es un número entero. El proceso de luto te permite adaptarte a la nueva situación, dejar que las heridas sanen y seguir adelante con tu vida.

Seguir adelante no es fácil. La muerte crea una miríada de pensamientos y sentimientos que es imposible acumular. Los sentimientos son reacciones espontáneas a las cosas que pensamos. A mucha gente se le ha enseñado a reprimir y desconfiar de sus sentimientos. Pero los sentimientos no son buenos ni malos. Los sentimos como notamos el viento en el rostro. Son como son y tenemos que verlos como una condición normal, a pesar de las circunstancias.

Podemos acumular los sentimientos por un poco de tiempo, pero no mucho. Cuando tu hijo mete el gol de la victoria en un partido clave, no esperas unos días antes de ponerte a saltar y gritar. Lo haces en ese instante. Lo mismo ocurre con los sentimientos negativos. Podemos evitar temporalmente lidiar con nuestras emociones, pero el espacio para acumular esos sentimientos es limitado. Una vez lleno, los sentimientos ya no tienen a dónde ir. Cuando los reprimimos, pueden reaparecer después en un contexto que no tiene que ver con la emoción. Eso puede causar confusión, reacción exagerada u otras formas de perturbaciones enfermizas. En otros casos, los sentimientos pueden regresar como dolores de cabeza, problemas estomacales, desórdenes médicos o depresión. La decisión más saludable es lidiar con las emociones *ahora*, no más tarde. La vivencia de los pensamientos y emociones propios del duelo te va a llevar a territorio desconocido, pero tienes que entrar en el dolor si quieres conocer la otra cara del luto.

La otra cara del luto

El luto tiene otra cara. Puedes celebrar sus resultados positivos. Eso le puede sonar extraño e incluso repulsivo a alguien que anda en las fases iniciales del duelo. ¿Estamos sugiriendo que hay que celebrar el duelo en sí? Por supuesto que no. El luto es un proceso tedioso, desagradable y solitario, marcado por un dolor inmenso. Pero sí puedes celebrar el nuevo optimismo y perspectiva de la vida que ese proceso puede traerte. El duelo es como un recorrido a través de un territorio, pero su propósito es que puedas descubrir una nueva vida y emocionantes posibilidades en la otra cara del dolor. ¡Aférrate a ese pensamiento!

El problema principal que tiene el viudo o viuda es que normalmente no opta por el dolor sino que trata de evitarlo. A la mayoría nos han enseñado que la pena es algo que tenemos que sobrellevar, algo que hay que aguantar. Si somos capaces de perseverar, la vida mejorará. Pero nosotros te queremos motivar a un enfoque diferente: No evites el dolor, atácalo. No soportes el luto: trata con él.

Optar por el duelo es un componente necesario para una resolución completa y saludable de la pena. Sin dolor y sufrimiento no se llega a experimentar la otra cara del luto. Este primer capítulo es un reto para que tomes las riendas de la situación y encuentres el valor para decidirte a trabajar con el duelo. La pérdida nos cambia, pero no permitas que la muerte de tu cónyuge aniquile tu propio espíritu. El luto puede ser la ocasión para hacer cambios positivos tales como el despertar de un corazón compasivo o el establecimiento de una nueva serie de prioridades.

Quizás hayas visto ese mural en el que aparece un gato en una rama. Al pie del mismo se puede leer: «Algunos dicen que eres fuerte si te aferras. Pero a veces eres más fuerte si te sueltas». Cuando el cónyuge muere, prevalece la tendencia a aferrarse. Al principio eso es probablemente lo único que puedes hacer, pero no puedes permanecer agarrado a esa rama para siempre. No puedes pasarte el resto de tu vida doliéndote; tienes que aprender a soltarte de esa rama. Como el niño que da sus primeros pasos, al final tienes que soltarte para poder moverte por ti mismo. El luto es un recorrido que puede tener una resolución positiva.

Así pues, ¿cuál es la resolución del duelo y qué significa para los que se quedan viudos? He escuchado a algunos viudos decir: «¡Uno nunca se sobrepone a esto!» o «El dolor está siempre ahí». Nosotros no estamos de acuerdo. Eso suena como a sentencia de muerte para el que queda aquí. Creemos que es posible llegar a esa situación en la que ya no sientes dolor cuando se menciona el nombre de tu cónyuge. El intenso anhelo por la presencia de esa persona en tu vida puede desvanecerse y finalmente desaparecer. Puedes retener todos tus recuerdos o pensar con profundo afecto en esa persona tan importante que fue parte de tu vida. Podrás experimentar emociones muy intensas en ocasiones como tu aniversario de boda, graduaciones de los hijos, bodas o el nacimiento de sus nietos. En esos momentos tan significativos se puede reavivar la pena, pero el dolor ya no estará allí. En su lugar, puedes sentir tristeza o lamentar que tu cónyuge no pueda participar de ese suceso: la culminación de un pasado exitoso. No obstante, tú no estás muerto; tu vida no se ha acabado. Puedes seguir adelante, creando nuevas formas y posibilidades para tu vida. La vida sigue delante de ti para que la descubras, la experimentes y la disfrutes.

Míralo de esta manera: La vida como es un viaje. Deseas experimentar plenamente cada parte del recorrido, pero no quieres pararte demasiado tiempo en un solo lugar. Hay que proseguir con el viaje. La mayoría de nosotros no lamentamos que se terminara nuestra niñez. Probablemente disfrutaste mucho de aquellos años, pero seguiste adelante. Seguro que no te hubiera gustado quedarte en los catorce años todo el resto de tu vida, sino que te encaminaste con ganas hacia la edad adulta.

Así sucede también con la muerte de un cónyuge; hay que seguir adelante. Tuviste la experiencia de tu matrimonio (como otras experiencias del pasado), pero no debes quedarte estancado ahí y detener el viaje. Con la muerte de tu pareja ha terminado tu matrimonio, pero no tu vida. Puede que hayas concluido un capítulo, pero el libro de tu vida no ha acabado. Sin una gestión con propósito del proceso de duelo, puede que sean más los problemas creados por ti que los provocados por el luto. ¿Por qué no lidiar con los sentimientos y emociones relacionados con el duelo a fin de que la siguiente etapa en tu viaje pueda estar lo más libre posible del bagaje anterior? El luto puede transformarse del dolor a la esperanza y de la esperanza a una vida más profunda. John Greenleaf Whittier estaba, en un sentido, hablando de una pena no resuelta cuando dijo: «De todas las palabras tristes de la lengua o de la pluma, las más tristes son estas: podía haber sido».[4] Tú conoces esa sensación. Puedes sentir como que estás meramente existiendo. Ten cuidado. No malgastes el resto de tu vida en lo que «podía haber sido». Trata con el duelo. Trata con él ahora para poder seguir adelante con tu vida.

El pastor dice

Hermanos, no queremos que ignoren lo que va a pasar
con los que ya han muerto, para que no se entristezcan
como esos otros que no tienen esperanza.

1 Tesalonicenses 4:13

El cristiano y el duelo

«Hasta que la muerte nos separe». En la boda le quitamos pronto importancia a esas palabras. Después de todo, una boda es una señal de nueva vida y, por supuesto, no queremos hablar de muerte en medio de una celebración de nueva vida.

Pero viene el momento cuando escuchamos: «El tumor es masivo; algo anda seriamente mal». O «Lo siento mucho, el ataque lo ha provocado un tumor que presiona su cerebro». Otros escuchan el mensaje de parte de la policía: «Señora Ramírez, siento mucho informarle que su esposo ha muerto en un accidente en la autopista. Por favor, venga con nosotros». Empieza el viaje. No es una aceleración lenta y suave; es una avalancha de sorpresa, terror y dolor que cae sobre la persona. Hace un momento su vida era rutinaria; un instante después contempla el rostro de la muerte.

Digámoslo con claridad desde el principio: Dios no quiere que sus criaturas mueran, pues él las creó para vivir. No solo fuimos creados para vivir, sino también para estar juntos, y el matrimonio es la más íntima de las relaciones. La bella relación de Dios el Padre, Dios el Hijo y Dios el Espíritu Santo se refleja en la unión de un hombre y una mujer (Gn. 1:27). Pablo usa el matrimonio como símbolo del vínculo íntimo entre Cristo y su cuerpo (Ef. 5:25-33).

Llega la muerte y termina la relación matrimonial. Eso no debería ser una sorpresa, pero la muerte rara vez viene cuando queremos. Suele llegar demasiado temprano o demasiado tarde, y el luto siempre la acompaña en su viaje.

Combate los mitos

Un mito especialmente perjudicial que sostienen algunos cristianos es que Dios no quiere que suframos. No lo dirán directamente, pero muchos de sus comentarios nos llevan a creer que los cristianos no debieran apenarse excesivamente por la muerte del cónyuge. «Después de todo —dicen ellos— tu esposo o esposa está ahora mucho mejor. Y Dios hará que todo sea para bien», insinuando que no deberíamos llorar.

La verdadera cuestión que la mayoría de nosotros enfrentamos al comienzo de nuestro proceso de luto es esta: ¿Está bien que un cristiano llore? No sólo derramar unas pocas lágrimas o hacerlo discretamente en momentos socialmente aceptables, sino llorar a lágrima viva. Quiero gritar, quiero desahogarme y hacerlo a pleno pulmón. Pero ¿esas emociones no son señal de una fe débil? ¿Significa eso que en realidad no confío lo suficiente en Dios? ¿Qué pasa si llego a casa la noche antes del funeral y estoy tan enojado que agarro un vaso y lo estrello contra la pared, dejando los pedazos para que otro los recoja? ¿Quiere decir eso que mi fe ha fallado?

Nosotros creemos que Dios entiende esos sentimientos. «Jesús lloró» (Jn. 11:35) es el versículo más corto de la Biblia. Consideremos el gran tesoro escondido en esas dos palabras: Jesús —el autor y Señor de la vida, el Rey de reyes— está hincado de rodillas ante la tumba de Lázaro, su amigo amado. Y llora. ¿Por qué? Por supuesto, no porque Lázaro esté muerto. Jesús, dentro de unos minutos, lo va a levantar de nuevo a la vida y Lázaro saldrá caminando de la tumba. La muerte no puede retenerlo si el poder de Cristo está de su parte. Jesús llora porque el pecado ha trastornado este mundo y la muerte es el símbolo de ese gran trastorno. Aunque cuenta con el poder para arreglarlo, llora.

Nosotros también tenemos la libertad de entristecernos y llorar. La muerte no es lo que debiera ser. La muerte no es natural. La muerte es una intrusión. Y aunque Cristo ya ha conquistado a la muerte, todavía tenemos que enfrentarla, y lloramos.

Tenemos que tratar con varios asuntos importantes si es que queremos conseguir una perspectiva cristiana del duelo. Cuando tu pareja muere, tú te dueles al menos por tres razones diferentes: la pérdida del cónyuge, la pérdida de control y la desilusión con Dios.

1. *La pérdida del cónyuge.* Tu compañero o compañera era tu complemento; era tu alma gemela. Esa fue la intención de Dios desde el principio de la creación. El propósito divino era que Adán y Eva vivieran juntos, que fueran compañeros inseparables. Se unieron para un proyecto de vida muy importante.

Un hombre y una mujer entretejen sus vidas en un bello tapiz. Idealmente, cada uno de ellos retiene su propia individualidad y personalidad. Los hilos individuales son visibles, distintivos y contribuyen a la fortaleza de la relación, pero quedan firmemente entretejidos. No puedes quitar una de las hebras sin hacer que la otra pague un gran precio. La muerte de un cónyuge, a cualquier edad, provoca el proceso deshilvanador del tapiz, y eso duele mucho. Para el joven cónyuge que enviuda el dolor puede ser muy grande porque el diseño final del tapiz no se ha desarrollado por completo. Si bien las personas ya mayores todavía siguen creciendo y desarrollándose juntas, su matrimonio por lo general ya goza de una cierta plenitud. Las parejas jóvenes están todavía en construcción. Decir que esto es una muerte inoportuna indica simplemente que el diseño final todavía no se ha completado.

Algunas personas pueden hacer gimnasia teológica para justificar estas muertes inoportunas. «Es el plan de Dios», dirán. Pero la muerte es extraña para Dios. No estaba en sus planes, al menos no el dolor, la pena y el sufrimiento que acarrea. La muerte, por supuesto, ha sido conquistada por Cristo, pero eso no significa que no podamos gritar y llorar en su presencia.

2. *La pérdida de control.* Nos llenamos de pena porque nos enfrentamos al apabullante recordatorio de que no tenemos el control. Si tu cónyuge muere después de una larga enfermedad, ya has conocido probablemente la cuestión del control. No puedes controlar los horarios de los médicos; tampoco los resultados de las pruebas de laboratorio. Y a pesar de lo mucho que te esfuerces, puedes estar experimentando un profundo sentido de fracaso porque no has podido controlar la situación. Tu pareja murió. Ahora estás solo.

Pero en realidad nunca tuviste el control. Dios sí. Aunque te suene extraño, tú ni siquiera puedes controlar tu propia fe. Yo tomé este asunto de esperar en el Señor y lo convertí en mi tarea. Me decía: «Este es mi deber. Mi tarea es esperar. Voy a poner mi fe en el esperar, y veremos lo bien que puedo cumplir con ello». Pero, con todo, no ocurría nada y al final tuve que aprender que la fortaleza de mi fe no descansaba solamente en mí sino también en otros. El cuerpo de Cristo *no* está compuesto de partes fuertes y débiles, con las partes fuertes sosteniendo a las débiles. El cuerpo está compuesto de partes que son todas débiles. Cada uno acude al cuerpo con sus heridas, dolores y debilidades. Las partes débiles deben sostener a otras partes débiles. La muerte es un cruel e inevitable recordatorio de que no estoy al control de nada, ni siquiera de mi fe.

3. *La desilusión con Dios.* «Si yo no tengo el control, entonces —argumentamos— sin duda Dios es el que lo tiene. Y Dios es misericordioso, amoroso y compasivo. Dios es quien nos metió en esta bella unión. ¿Cómo puede permitir un Dios amoroso que esto suceda?» Te sientes desilusionado con Dios; puede incluso que estés enojado con él. Te preguntas si podrás llegar a confiar de nuevo en él. No hay respuestas fáciles, de manera que quieres agarrar a Dios por las solapas, zarandearlo y exigirle una explicación. Pero puede que no responda. La única respuesta que quizá recibas es que por el momento no hay explicación. En su misma naturaleza la muerte es demoníaca, y tú no puede explicar lo demoníaco. La muerte sucede. No es en realidad culpa de Dios, ni tampoco tuya ni de tu cónyuge. La muerte es la lista mediante la cual nos llama el diablo.

Así pues, te inunda la pena. Estás lleno de dolor por la muerte de tu cónyuge, por la pérdida de control, porque Dios no siempre responde a nuestras preguntas. Lo que ves y entiendes es que «ahora vemos de manera indirecta y velada, como en un espejo; pero entonces veremos cara a cara. Ahora conozco de manera imperfecta, pero entonces conoceré tal y como soy conocido» (1 Co. 13:12).

Uno de mis pastores y amigo personal lo expresó de la siguiente manera: «El duelo es un proceso necesario. Tú no podías evitar que tu cónyuge muriera. Pero recuerda, es un proceso. Y en todo proceso hay una meta. Sigue adelante con tu dolor. Hazlo con ganas. Hazlo para que puedas vivir y amar de nuevo».

Una vez que has demolido el mito de que Dios no quiere que pasemos por el dolor del luto, ponte a combatir los mitos de que la muerte es culpa de Dios, de que Dios no comprende y de que nunca volverás a ser feliz.

1. *La muerte no es culpa de Dios.* El gran propósito de Dios al enviar a su Hijo fue el de vencer a la muerte. La cruz fue la batalla decisiva, y el resultado final de la batalla ya está garantizado, pero la guerra sigue. Sólo cuando Cristo venga de nuevo se completará la victoria. Así pues, tú sufres el luto, pero no como otros. Porque, aunque puedes gritar y llorar, tienes la esperanza de la resurrección. La muerte es real y dolorosa. «Pues estoy convencido de que ni la muerte ni la vida... podrá apartarnos del amor que Dios nos ha manifestado en Cristo Jesús nuestro Señor» (Ro. 8:38-39).

2. *Dios sí comprende.* Él no está tan elevado y es tan poderoso que no se duela con nosotros. El Espíritu de Dios gime con nosotros en nuestro dolor (Ro. 8:26). Jesús lloró. También experimentó la muerte cuando «se humilló a sí mismo y se hizo obediente hasta la muerte, ¡y muerte de cruz!» (Fil. 2:8). Más importante aun, Jesús retó a la muerte y a la tumba, y venció.

3. *Tú puedes volver a ser feliz.* No creas el mito de que nunca volverás a ser feliz. Si tu pareja falleció recientemente, esto te puede resultar difícil de entender o aceptar, pero Dios nos restaura. Dios, a su propia manera, nos devuelve la felicidad. Esta felicidad puede venir en otras muchas formas. Tu vida probablemente nunca será lo que habías imaginado que fuera, pero Dios puede abrir nuevas puertas. Dios no promete que hará por cada uno de nosotros lo que hizo por Job, quien fue tan severamente afligido que perdió todas sus posesiones terrenales, su salud y a todos sus hijos. Pero al final «el Señor bendijo los últimos años de Job más que los primeros» (Job 42:12).

Debemos creer que Dios quiere buenas cosas para nosotros. El mal no puede ni debe prevalecer. Ábrete a la posibilidad de volver a ser feliz. Nuestro Dios es un Padre lleno de gracia y bondad.

2

¿Cómo vives el luto?
Traza la ruta desde el dolor a los recuerdos

La esposa de Francisco murió, y durante años él conservó una caja llena de recuerdos especiales que le traían a la memoria su pasado amor. Había tomado el reloj de ella, unas pocas joyas de gran valor sentimental, algunas fotografías, un frasquito de su perfume favorito y otros variados tesoros, y los había metido en la caja. De vez en cuando Francisco trasladaba la caja de un cuarto a otro, metiéndola en un armario o debajo de una cama, asegurándose de que era un lugar seguro. Pero nunca la abrió.

¿Cómo vives tú el luto? ¿Conservarás tus recuerdos en una caja sellada, sin atreverte nunca a mirar adentro? ¿O abrirás la caja, revivirás los recuerdos y aprenderás a disfrutar del placer que pueden traerte? En este capítulo te vamos a sugerir cómo puedes transformar el dolor presente de tu luto en una cofre de tesoros de bellos recuerdos.

La psicóloga dice

Nadie llora mucho a menos que pierda algo de auténtico mérito. Así que el duelo es la celebración de la profundidad de la unión. Las lágrimas son las joyas del recuerdo, tristes, pero refulgiendo con la belleza del pasado.
James Peterson
«On Being Alone», *The Adventist Chaplain*

Las lágrimas no lograrán que él vuelva, pero te pueden recuperar a ti.
Barbra Streisand en *Prince of Tides*

Enfrenta el dolor emocional:
No alrededor o por encima, sino a través de él

Todos queremos evitar el dolor, especialmente el físico. Cuando te dañas la espalda y te duele, dejas inmediatamente lo que estás haciendo. El niño que toca el horno caliente retira la mano rápidamente, porque le duele. Evitar el dolor físico es normal y saludable.

Sin embargo, el dolor emocional es diferente. Dado que consta de una extensísima variedad de sentimientos, como el temor, el enojo, la culpa y la tristeza, tienes que identificar y explorar esos sentimientos.

C. S. Lewis dice: «Nadie me dijo nunca que la pena es muy semejante al temor. No tengo temor, pero la sensación es como cuando lo sientes. El mismo malestar de estómago, la misma agitación, el bostezar. Sigo tragando».[1]

No puedes evitar la reacción ante el dolor de la pérdida. Probablemente ya has experimentado el aturdimiento, el adormecimiento y la incredulidad que vienen con la muerte del cónyuge. Quizá tienes la sensación de que se ha hundido el suelo debajo de tus pies. Puedes experimentar cambios en tus hábitos de sueño o alimentación. Es posible que se debiliten tus emociones; puedes incluso llegar a pensar que te estás volviendo loco. Estos sentimientos tal vez te asusten e intentes negarlos. Tú quieres tener el control de la situación, de manera que puedes intentar no llorar, o expresar enojo o sentirte culpable. Quizá no te sientas con ganas de ir a la iglesia o relacionarte con los amigos, pero la presión de corresponder es tan grande que pretendes que todo está bien y sales de casa a pesar de todo. Hazte un favor, deja ese papel a un lado, si no eso te perjudicará más tarde.

La viudez la experimentan la mitad de todas las personas casadas. En cada pareja morirá una persona y dejará a la otra viuda. Puedes pensar que te encuentras en minoría, pero anualmente 800.000 individuos se enfrentan a la cruel realidad de la muerte del cónyuge en nuestro país. Una cuarta parte de ellos son hombres; las otras tres cuartas partes son mujeres. La Oficina del Censo de los Estados Unidos indica que el 7 por ciento de la población del país son viudos. Alrededor de 400.000 son menores de cuarenta y cinco años, y 6.100.000 tienen entre cuarenta y cinco y sesenta años. De los mayores de sesenta y cinco años, el 50 por ciento de las mujeres y el 14 por ciento de los hombres son viudos. En otras palabras, no estás solo.

Puesto que todos hemos de morir, la viudez es algo que va a enfrentar uno de los cónyuges en cada matrimonio. Por lo general no pensamos en la muerte cuando estamos en el altar del matrimonio, aunque las palabras «hasta que la muerte nos separe» son bastante comunes en las ceremonias de boda.

¿Qué es el duelo o luto?

El duelo consiste en los pensamientos y sentimientos, así como también las reacciones psicológicas, sociales, físicas y espirituales que experimentamos ante la muerte de un ser amado. El duelo o luto es un proceso individual y único. No hay una manera única y correcta de experimentarlo, por lo que tienes que permitirte hacerlo a tu propia manera y a tu propio ritmo. Pero los que pasan por el proceso del luto tienen algunas experiencias comunes. Te animamos a que examines cada una de ellas para comprender lo que estás experimentando. Conforme vas viviendo tu duelo, examínate a ti mismo, sé tu propio amigo e interésate en cómo te va.

Los tres factores más comunes que influyen en el proceso de duelo son: (1) la naturaleza y características de la relación que habías tenido con el fallecido, (2) las características de tu personalidad relacionadas con tus circunstancias personales, y (3) el tipo de muerte. Vamos a dedicar algo de tiempo a considerar en detalle cada uno de estos aspectos.

Tu relación con el fallecido

El tipo de relación que tuviste con tu cónyuge es un factor importante en la comprensión del proceso del luto. La calidad de tu relación matrimonial, lo estrechamente que estabas unido a tu pareja y qué papel desempeñó en esa unión afectan tu proceso de duelo. Obviamente, cuanto más unido estabas a tu cónyuge, tanto más tendrás que reestructurar tu vida. Si tenías algunos conflictos no resueltos y desacuerdos importantes con tu pareja fallecida, es más probable que experimentes más complicaciones. Naturalmente, no hay relación matrimonial perfecta, pero si existía un problema dominante y persistente entre vosotros, no sólo tendrás que resolver el dolor del luto sino también el conflicto. Si esto describe tu situación, te sugerimos que busques la ayuda profesional de un consejero para revisar estos asuntos. Los especialistas de la salud mental están mayoritariamente de acuerdo en que el proceso del luto será menos complicado si la relación matrimonial era sana y estable.

Las características de tu personalidad relacionadas con tus circunstancias personales

Tus propias circunstancias personales también afectan el proceso de duelo. En realidad esta categoría abarca varios factores, como tus experiencias previas con la muerte, tipo de personalidad, educación, posición laboral, salud, situación financiera, responsabilidades familiares, apoyo social y presencia de creencias religiosas.

Por ejemplo, si contabas con una situación económica estable antes de la muerte de tu cónyuge, probablemente será menos traumática tu vida al enviudar. Con todo lo impertinente que esto pueda parecer, tienes que seguir pensando en el dinero durante tu proceso de luto. Tienes que tomar decisiones sabias en tu economía. La escasez de recursos económicos crea angustia. Si estás bien establecido en tu propia carrera profesional o tienes un empleo satisfactorio, entras en el proceso del duelo con cierta posición ventajosa. El trabajo puede servir como una distracción excelente al recordarte que tu vida es más que meramente tu matrimonio. Sin embargo, puedes sobrepasarte en ello. No te encierres en el trabajo para evitar pensar en la muerte de tu cónyuge. Pero si la actividad laboral te provee de un sentido de satisfacción y realización, sigue adelante y dedícate a ella. En muchos casos, el trabajo te puede ayudar a mantener tu sentido de valor personal. Parte de tu identidad ha desaparecido con el fallecimiento de tu cónyuge, pero esa identidad no era el todo, porque tú eres en ti mismo una persona valiosa. Tú sigues aquí. Empieza ahora a hacer todo lo que esté en tu mano para reconstruir tu propio sentido de valor.

También es importante la forma como enfrentaste tus pérdidas anteriores. Si has vivido anteriores pérdidas, ya sabes que lograste superarlas. Cada vez que logras atravesar victorioso el valle de la prueba te haces más fuerte. Pero esta fortaleza viene sólo si has lidiado de una forma saludable con tus anteriores pérdidas. Si evitaste trabajar a través del proceso del duelo, probablemente encontrarás que este nuevo proceso resulta aun más duro de sobrellevar, porque las otras experiencias volverán a surgir, y agravarán tu dolor.

Tu propia personalidad tiene también un impacto profundo en el proceso. Algunos de nosotros tendemos a ser principalmente pensadores, buscamos entenderlo todo. Otros tienden más a sentir, suelen responder emocionalmente a las circunstancias. La forma más sana es mantener un buen equilibrio entre pensar y sentir.

La tendencia al pesimismo o al optimismo es otro rasgo de la personalidad que afecta al proceso del luto. Si en cualquier situación tiendes a mirar sobre todo a los factores negativos y te centras en ellos, te resultará al final más difícil avanzar hacia la aceptación de la muerte de tu cónyuge y encontrar resultados positivos presentes y futuros. Puede que hayas escuchado el antiguo adagio: «Si te dan un limón, haz limonada». Seguro que en algún momento eso puede aplicarse a tu proceso de duelo, pero no vayas muy deprisa al «hacer limonada». Es importante experimentar y lidiar con todos tus sentimientos (esto es, enojo, tristeza, culpa) antes de seguir adelante. Si eras una persona optimista y positiva antes del fallecimiento de tu cónyuge, lo más probable es que seas capaz de recuperar esa actitud.

Tu propia salud física también puede afectar al proceso del duelo. Si te encuentras con mala salud y escaso de energía, puedes descubrir que el proceso te exige más tiempo. También puedes desarrollar un mayor aprecio por tu propia salud, como me sucedió a mí. Rick había pasado mucho tiempo enfermo antes de su muerte, de modo que ahora es muy importante para mí tener físicamente la energía para hacer lo que quiero.

Otra circunstancia personal que influye en el proceso es tu propia historia y dinámica familiar. Si tienes hijos en casa, por ejemplo, vas a tener obviamente que cuidar de ellos. Encontrarás que a veces tendrás que olvidarte de los sentimientos y necesidades propios a fin de atender a los de tus hijos. Los más pequeños pueden representar un reto especial por lo mucho que dependen físicamente de sus padres. Pero no sólo tienen necesidades físicas, también las tienen emocionales, y tú vas a querer satisfacerlas. Quizá te sientas atormentado porque no te ves emocionalmente capacitado para atender a las necesidades de tus hijos al mismo tiempo que tienes que lidiar con tu propio proceso de luto.

En circunstancias normales, para Jennifer era una rutina corriente lograr que su hija se vistiera y se preparara para ir a la escuela. Aun los días cuando la niña se resistía, Jennifer tenía la suficiente estabilidad emocional para resolver la situación. Pero, cuando llevaba cinco meses viuda, la pérdida de su esposo le provocaba frecuentemente tensión y cansancio emocional por la mañana, al mismo tiempo que su hija de seis años se negaba a prepararse para ir a la escuela.

Los retos de la vida no esperan a presentarse hasta que tú estés listo para tratar con ellos. La pena nos fuerza a veces a elegir, aun en el nivel emocional. Tus necesidades y las de tus hijos se presentan simultáneamente y crean un conflicto. Como sucede muy a menudo, las necesidades de los hijos prevalecen. Esto, en varios sentidos, pospone tu proceso de luto hasta que puedas reemprenderlo más tarde. Quizá los padres, familiares y algunos amigos te puedan echar una mano para atender algunas de las necesidades de los hijos. Esta ayuda puede resultar muy valiosa si ellos son sensibles a tus deseos. Tendrás que establecer límites claros acerca de lo que quieres que hagan y cuánto quieres hacer todavía sin ayuda externa.

Las creencias religiosas pueden ser también un factor que complique las cosas en el proceso del duelo. Robert y yo somos cristianos y sabemos que nuestra fe en Dios y confianza en su cuidado pueden aportar mucha paz y serenidad. Sin embargo, el dolor de la pérdida te lanza a la cara inevitablemente la pregunta: ¿Por qué has permitido, Señor, que esto me suceda a mí? ¿Por qué? Algunas personas van a desarrollar inmediatamente sentimientos de culpa por el simple hecho de preguntarlo. O puedes sentirte muy enojado contra Dios, sintiéndote abandonado por él, o quizá preguntarte si él de verdad escucha todavía las oraciones. Puede que decidas no orar ni leer la Biblia, o no acudir al templo.

Si eso es lo que estás experimentando en este momento, es bueno que sepas que esas reacciones son normales y acabarán cesando. Date a ti mismo permiso para experimentar la noche oscura del alma sin sentirte culpable. Al continuar en tu proceso de duelo, la fe te ayudará a recuperar tu vida y a entender que en ella se entretejen a menudo el gozo y el dolor.

Las expectativas sociales también afectan la manera en que uno sufre el luto. Muchos van a juzgar lo bien que te va mediante normas tácitas. Es probable que familiares o amigos bien intencionados quieran que vuelvas cuanto antes a tu conocida manera de ser, y te animarán a dejar de andar alicaído y deprimido. Pero tal vez ellos no saben lo que significa perder al cónyuge. O puede que estén reaccionando a su propia ansiedad ante tu pérdida y los subsiguientes cambios sociales. Sean las que sean sus motivaciones, sus expectativas pueden aumentar tu carga. Tú ya sientes que está solo, y la incomprensión de los demás puede intensificar ese sentimiento. Si tu cónyuge y tú teníais una especial intimidad, el no ser capaz ahora de compartir tus sentimientos con otros intensifica tu dolor y tu sentido de pérdida.

Experimentar todo este proceso sin tu cónyuge es muy triste, así que no permitas que las expectativas de otras personas influyan en ti. El ritmo más apropiado lo vas a encontrar al escuchar y seguir tu propio corazón. Es muy improbable que logres completar en un año tu proceso de luto. La intensidad de la pena puede aliviarse, las olas del dolor y de las emociones te invadirán menos veces, pero el dolor de haber perdido a tu pareja probablemente continuará un tiempo. Puedes tener la seguridad de que al final te sentirás mejor. Aférrate a esa esperanza.

El tipo de muerte

El tercer factor común que influye en el proceso del luto es el tipo de muerte que sufrió tu pareja. ¿Qué consideras peor: perder al cónyuge por un accidente inesperado o después de una larga enfermedad? La realidad puede que te sorprenda: la muerte, no importa cómo venga, es dura. No caigas en la trampa de comparar una forma de muerte con la otra.

Si tiene alguna forma de prever el desenlace (como en una enfermedad terminal), puedes haber tenido tiempo para prepararte. También puede que hayas tenido la oportunidad de reconciliar diferencias o tratar asuntos no resueltos. Quizá hayas tenido tiempo para hacer todos los arreglos del funeral. Tal vez tuviste oportunidad de prepararte mentalmente para la pérdida. Pero la investigación resulta contradictoria y poco clara en cuanto a los efectos del conocimiento anticipado acerca de la muerte. La información disponible apoya pocos beneficios, por no decir ninguno, causados por un proceso de luto anticipado.[2] Incluso cuando sabemos que la muerte se acerca, la mayoría de nosotros todavía la contempla como algo inimaginable. Eso hace que resulte imposible prepararse emocionalmente por anticipado para una pérdida.

Uno de mis colegas hizo un comentario poco después de la muerte de Rick que me dejó muy afectada. Él pensaba que, dado que yo conocía el pronóstico sobre mi esposo con bastante anticipación, me resignaría y aceptaría la pérdida más rápidamente. Pero eso no fue así. Aunque Rick se encontraba muy débil y yo tenía que cuidar de sus necesidades físicas a diario, él todavía estaba conmigo. Yo tenía el conocimiento de que moriría, pero yo no estaba lista o dispuesta a aceptarlo emocionalmente. Cuando murió sufrí un intenso dolor y tuve que tratar con él con diligencia y propósito.

Es obvio que la muerte repentina no te permite prepararte en ningún sentido, lo cual puede prolongar el período de sorpresa, aturdimiento e incredulidad. Cuando la muerte llega sin aviso, puede que te deje con cosas por decir o hacer, o puede que hubiera alguna desavenencia o desacuerdo que ahora permanece en tu memoria. Esas situaciones no resueltas pueden agregar una capa más a tu proceso de duelo. Recuerda que los desacuerdos son normales en las relaciones y que normalmente se resuelven a su tiempo. Si tu cónyuge hubiera vivido, habrías dialogado con él y lo habríais solucionado. Confía en que, si hubieras tenido tiempo, habría tratado esos desacuerdos como solías hacer.

Si tu cónyuge se suicidó, está claro que tienes otro componente con el que lidiar. Pueden presentarse sentimientos de culpa, de remordimientos o de enojo, pero de un tipo diferente porque la muerte podía haberse evitado. La ignorancia acerca de qué pasaba en la mente de tu cónyuge que le impulsara a quitarse la vida lo complica todo y afecta al proceso del luto. Pero no olvides tener en cuenta que somos responsables cada uno de nuestras propias decisiones, como lo era tu cónyuge (véase también la sección: «Duelo complicado», en el capítulo 3).

La enseñanza aquí es que todos tenemos que entrar en el proceso del duelo independientemente del tipo de muerte que el cónyuge haya experimentado. Si bien es cierto que en algunos casos puedes prepararte para la muerte, la verdad es que, aparte de las circunstancias, el fallecimiento de la pareja es siempre duro de enfrentar. Evita las suposiciones o los juicios acerca del grado de dificultad asociado con el tipo de muerte. Eso es contraproducente y poco saludable.

El pastor dice

Más bien, busquen primeramente el reino de Dios y su justicia,
y todas estas cosas les serán añadidas.

Mateo 6:33

Enfrentemos la muerte

Marta estaba enojada con Jesús. No te sorprendas por ese pensamiento, pero una buena amiga de Jesús estaba muy molesta con él. Lázaro, el hermano de Marta y María, había enfermado. Sabiendo ellas que su amigo tenía poderes divinos para sanar, las hermanas le enviaron un mensaje urgente para que acudiera cuanto antes. Betania, su pueblo natal, se encontraba a sólo diecinueve kilómetros de donde Jesús se hallaba. Si no conoces todo este relato lo puedes leer en el Evangelio de Juan 11:1-45.

Jesús se negó a acudir cuando las hermanas se lo pidieron. Esperó tres días antes de ponerse en camino hacia Betania. Cuando tu ser amado estaba enfermo y en grave peligro, ¿no esperabas que los amigos cercanos acudieran rápidamente cuando los llamases? Jesús no lo hizo. Él esperó. Mientras tanto, Lázaro murió. Cuando Jesús llegó al lugar, no sólo estaba muerto, ya lo habían enterrado.

Las hermanas salieron corriendo al encuentro del Señor para preguntarle (lee Juan 11:21 y 32 con algo de emoción). No se ven aquí las cortesías de rigor. Las primeras palabras que salieron de la boca de María fueron: «Señor, si hubieras estado aquí, mi hermano no habría muerto». Jesús, si tan sólo me hubieras escuchado -si hubieras venido cuando te llamamos- esta tragedia no habría ocurrido.

Cuando un cónyuge fallece, una de las primeras cosas con la que muchos de nosotros tenemos que tratar es con el remordimiento. Si yo hubiera... Si hubiera llamado antes al médico. Si él hubiera tomado otro camino para ir al trabajo. Si ella hubiera tenido acceso antes a esas nuevas formas de quimioterapia.

Otras veces lidiamos con el sentido de culpa: culpa por cosas que se dijeron o que no se dijeron. Experimentamos sentimientos de culpa por lo que podíamos haber hecho o no. Pensamos que las cosas podían haber sido diferentes.

En estas situaciones, tendemos a volver a pasar por la mente todos los sucesos anteriores a la muerte del cónyuge. Quisiéramos reconstruilos, que fueran diferentes. O al menos que pudiéramos tener una actitud diferente acerca de ellos.

Comprendamos la muerte

Nos enfrentamos cara a cara con uno de los grandes misterios de las Escrituras: el misterio de la muerte y de la vida. Jesús usó la enfermedad y muerte de Lázaro para enseñar a María, a Marta y a todos nosotros algunos hechos básicos acerca de la muerte.

Primero, en los asuntos de la vida y de la muerte, Dios establece su propio plan y horario. Con todo lo extraña que nos pueda parecer la conducta de Jesús, su demora en responder a la petición de las hermanas fue deliberada. Esperó a propósito, sabiendo que Lázaro iba a morir. Jesús quería que ellas supieran que la muerte no era en realidad una cuestión tan abrumadora para él, por esa razón se refiere a Lázaro como que «duerme» (Jn. 11:11). Pero los discípulos lo tomaron demasiado literalmente, pensando que Jesús estaba negando la muerte de Lázaro. De modo que Cristo tuvo que decirles claramente: «Lázaro ha muerto» (Jn. 11:14). Lo que Jesús les estaba diciendo es que la muerte, a los ojos de Dios, no es diferente de estar dormido. Con la misma facilidad con que un padre puede despertar a su hijo por la mañana el sueño reparador de la noche, así también Dios puede resucitar a los que han dormido en él. No trates de controlar el «cuándo» de la muerte; no podrás hacerlo. Eso pertenece al plan y tiempo de Dios

Otro hecho acerca de la muerte es que siempre deja una agenda inconclusa. Es sólo una conjetura, pero quizá María y Marta tenían todavía cosas que querían decirle a Lázaro. Especialmente en el caso de muerte repentina, no se dispone de tiempo para despedirse, para pedir perdón por las equivocaciones u ofensas que tuvieron lugar entre los dos, no hay tiempo para finalizar los sueños y proyectos que habían conformado vuestro futuro. La muerte es dolorosa.

Mencionamos en el capítulo 1 que Jesús lloró ante la tumba de Lázaro. Este llanto es un reconocimiento de que la muerte no sólo afecta a los que mueren. La muerte invade la vida, corta relaciones, detiene el curso de la vida.

Hasta los pequeños sienten el dolor de la muerte. Como lo expresó un niño de ocho años llamado Daniel:

Querido Dios:
Este es mi poema.
Te amo porque nos das
lo que necesitamos para vivir.
Pero me gustaría que me dijeras
por qué has hecho que
tengamos que morir.[3]

No te pierdas la enseñanza de la historia de Lázaro. La muerte no es la última palabra; el final de la historia es la resurrección. Para Lázaro fue inmediata. Jesús probablemente lo hizo así porque a él mismo le faltaban sólo unos pocos días para su propia muerte. Quería que sus amigos grabaran en su mente el conocimiento del poder de Dios sobre la muerte. Quería que supieran que la resurrección es real.

Para nosotros, sin embargo, la resurrección es algo que está en el futuro, quizá en un futuro distante. Dios establece su propio plan y tiempo para la vida y la muerte. Por ahora simplemente recuerda que Jesús les estaba diciendo a María y Marta -y al resto de nosotros- que la muerte no es la última palabra.

Pasemos de la tumba a la gracia

La muerte de un cónyuge llena de incertidumbre nuestra vida. Los sueños y planes para el futuro quedan deshechos; las amistades con frecuencia cambian; la manera en que nos vemos a nosotros mismos queda alterada. Nos preguntamos a menudo si queda algo en este mundo en lo que podamos confiar. En su libro *En pos de lo supremo,* Oswald Chambers reflexiona sobre este tema de la «amorosa incertidumbre».

Tenemos tal tendencia a ser tan precisos -tratar siempre de prever con exactitud qué va a ocurrir después- que consideramos la incertidumbre como algo malo... La naturaleza de la vida espiritual es que estamos seguros en nuestra incertidumbre... La vida espiritual es la vida de un niño... No estamos inseguros acerca de Dios, sino inciertos en cuanto a lo que va a hacer a continuación... Dejemos todo en sus manos y resultará gloriosa y amorosamente incierto cómo vendrá, pero puede estar seguro de que vendrá. Él permanece fiel; él no puede negarse a sí mismo.[4]

Nuestra incertidumbre está a menudo alimentada por el deseo o necesidad de controlar los varios aspectos de nuestra vida. Nos preocupamos acerca de multitud de cosas. Pero las palabras de Jesús que encontramos en el Sermón del Monte nos animan a pasar de la incertidumbre de la fe a la sencillez de la fe. Él dice en Mateo 6:33: «Más bien, busquen primeramente el reino de Dios y su justicia, y todas estas cosas les serán añadidas». La sencillez cristiana es una virtud. «La sencillez -escribe Richard Foster- se introduce inadvertidamente. Un nuevo sentido de admiración, concentración e incluso de profundidad se abre lugar en nuestra personalidad... La sencillez es una gracia».[5]

La sencillez cristiana requiere al menos tres tipos de adaptación. El primero es de tipo espiritual: «Más bien, busquen primeramente el reino de Dios y su justicia». Debo perder mi vida a fin de encontrarla. Mi vida ha desaparecido. Por muy profunda que sea mi devoción a Cristo, la muerte de mi cónyuge significa que mi forma de vida como yo la tenía definida ha desaparecido. Tengo que empezar de nuevo. Juzgo que este es un acto de gracia, que no solemos tomarlo bien ni lo deseamos. Pero ahora tengo que preguntar de una manera muy directa y profunda: «Señor, ¿qué es lo que tú deseas de mí?» ¿No debiéramos todos hacer esa pregunta regularmente? Es una pregunta sencilla, pero, no obstante, es bien profunda y compleja.

El compromiso con la sencillez, como lo define Mateo 6:33, requiere también una adaptación mental. Cristo no sólo dijo «Busquen primeramente el reino de Dios y su justicia», sino que también nos asegura que todo lo demás vendrá en la manera y momento oportuno. Esto puede resultar difícil de creer cuando tu cónyuge ha muerto. Pablo nos manda: «No se inquieten por nada» (Fil. 4:6). Toma el control de tu mente y de tu vida. Toma el control de tus actitudes, las cuales están, en la mayoría de los casos, relacionadas con la oración. Foster dice que hay «una relación intrínseca entre la sencillez y la oración, especialmente con el aspecto central de la oración, que es confiar». Foster cuenta luego esta ilustración:

A mis hijos les gusta mucho los panqueques, de modo que de vez en cuando me levanto temprano para prepararles una buena ración. Resulta interesante observar a esos muchachos. Los devoran como si hubiera una provisión ilimitada. No se preocupan para nada del costo de los ingredientes o de mi habilidad para proveerles ese alimento. Nunca los he visto guardarse uno en el bolsillo pensando: «No sé qué puede pasarle a papá; será mejor que guarde unos pocos para asegurarme de que habrá panqueques mañana». En lo que se refiere a ellos, la reserva de panqueques es infinita. Todo lo que tienen que hacer es pedirlos y, si es lo que les interesa, saben que los recibirán. Ellos viven en confianza y seguridad.[6]

Esto nos lleva a la tercera adaptación: deja de complicar tu vida. Cuanto más cosas poseas, tanto más te poseerán ellas a ti. La muerte de un cónyuge nos lleva a cortar con el materialismo. Las cosas ya no cuentan tanto.

Tras el fallecimiento de mi esposa, inicié un inventario. Al final no llegué a completarlo. Dejé de hacerlo porque me sentí muy avergonzado: dos automóviles, una camioneta, tres computadoras, cuatro televisores. Me di cuenta de que en realidad ninguna de estas cosas merecía la pena. Miré al mundo y estuve de acuerdo con Foster cuando dice que los que vivimos en el llamado mundo occidental no deberíamos orar pidiendo que el resto del mundo llegue a vivir conforme a nuestro nivel de vida. Si lo hicieran agotarían los recursos naturales del mundo en diez años.[7] Por el contrario, deberíamos rogar que nuestro nivel de vida se conformara con la búsqueda del reino de Dios.

Ya no estoy en absoluto centrado en las cosas materiales. Esta lección de sencillez empezó un movimiento de la tumba a la gracia. En mi debilidad humana, mis ojos se vuelven hacia el cielo, donde está mi difunta esposa. Ella era parte de mí y, en mi duelo, el deseo de verla era tan intenso que deseaba desprenderme de todas las cosas de la tierra a fin de poder estar con ella en el cielo. Pero eso era la forma de hablar de mi espíritu.

La sencillez dice: Mis ojos se vuelven ahora al cielo porque Cristo Jesús está allí. Él es parte de mí, y mi deseo de verle es tan intenso que quiero desprenderme de todo aquello que me retiene aquí, a fin de poder estar en el cielo con él. Pero no estoy en el cielo; estoy en la tierra, penando.

¿Ayuda de verdad la fe en el proceso del luto? Sí y no. No permitas que esta respuesta te asombre. La fe no puede hacer ciertas cosas por los que se encuentran sumidos en la tristeza. La fe no te va aislar del dolor de la pérdida. La fe no va a evitar que tengas sentimientos de enojo, remordimientos o soledad. La fe no te va a elevar por encima de este proceso o librarte de las tareas diarias.

La fe en Cristo, sin embargo, te dará dos cosas esenciales: las fuerzas para seguir adelante y la esperanza. Cristo te da el poder para encarar la muerte y resistir plenamente los ataques de este último enemigo. La muerte de un cónyuge hiere profundamente, pero Cristo te da poder para tratar el dolor.

La fe también da esperanza: «Para que no se entristezcan como esos otros que no tienen esperanza» (1 Ts. 4:13). Jesús llamó a Lázaro para que saliera de la tumba para dar a sus discípulos una señal segura y firme de que él también regresaría a la vida. La fe te asegura que el duelo se acabará; que puede venir una nueva vida. En última instancia, por supuesto, Cristo ofrece nueva vida cuando él viene para crear su nuevo reino. Pero también ofrece nueva vida hasta ese día, para el intervalo entre la muerte de tu cónyuge y el regreso de Cristo. El evangelio es sencillo: «Busquen primeramente el reino de Dios y su justicia, y todas estas cosas les serán añadidas» (Mt. 6:33).

3

※

¿En qué consiste el proceso del duelo?
El recorrido en sí

Miguel había salido para recoger el correo cuando yo pasaba caminando por allí. Hacía un año que su esposa había muerto y a él no le había visto durante los últimos tres meses. Era un día suave en el clásico otoño de Michigan, cuando las hojas de los árboles cambian de color. El aire todavía tenía un toque cálido. Al conversar, percibí rápidamente una energía nueva que no había notado antes. Sí, le iba bastante bien. No, no había pensado todavía en vender su casa. Sí, los hijos habían ayudado bastante, pero ellos tenían que cuidar de su propia vida.

Entonces Miguel me dijo: «Sabes, Robert, he estado pensando en que quizá sea bueno que empiece a hacer más vida social. No pensé que llegaría a ser capaz de decir eso otra vez. Amé mucho a Pat. Pero he llegado de verdad a darme cuenta de que ella ha muerto, y yo no. Creo que debo empezar a reconstruir mi vida».

Fíjate en el proceso de esta experiencia verídica. El tiempo pasa y la actitud cambia. Lo que parecía totalmente inconcebible antes se está convirtiendo ahora en una posibilidad. La sanidad está teniendo lugar.

En este capítulo vamos a tratar con el asunto del tiempo, con el progreso y con lo que se ha dado en llamar las *fases* o *etapas* del duelo. En realidad, nosotros preferimos contemplar este proceso del luto en términos de *tareas*.

La psicóloga dice

Nos hacemos a nosotros mismos desgraciados o nos hacemos más fuertes. La cantidad de trabajo es la misma.

Don Juan, *Journey to Xhan*

La pena es como un largo valle, un valle con curvas en el que cada vuelta puede mostrarnos un paisaje totalmente distinto.

C. S. Lewis, *A Grief Observed*

Temas y expresiones de la pena

Abundan las teorías en cuanto a la manera en que las personas se mueven a través de las varias experiencias y sentimientos asociados con el proceso de la pena. Los primeros teóricos usaban un lenguaje que sugería que los que pasaban por el proceso progresaban por medio de etapas definidas y predecibles. Ellos pensaban que el duelo era como caminar a través de cuartos cuidadosamente definidos, pasando de uno al siguiente. Sin embargo, investigadores posteriores indican que el proceso del luto no es tan predecible. Casi cualquier experiencia o sentimiento que una persona viuda tiene subsiguiente a la muerte de su cónyuge está dentro de la norma.[1]

Si bien pueden darse temas y elementos comunes, te sugerimos que simplemente prestes atención a las varias tareas de la pena sin forzarlas necesariamente dentro de una pauta o secuencia predecible. Recuerda solo unas pocas cosas bien sencillas: Cada persona llora en una manera diferente, de modo que nadie puede predecir cómo *tú* te sentirás. Las reacciones a la pérdida no son recetas con ingredientes específicos y resultados garantizados. Permite que tus sentimientos salgan a la superficie y lidia con ellos. El resultado que todos buscamos es sanarnos y poder seguir adelante. Tal vez pienses que eso es imposible en tu caso en este momento, pero recuerda el dicho popular de Lao Tzu que «un camino de 1.000 kilómetros comienza con un primer paso».[2] Confía en tus sentimientos y no intentes compararte a ti mismo con otros, sé especialmente cuidadoso en no medir tu progreso mediante algunas fases o etapas predeterminadas.

El duelo se expresa a sí mismo en cuatro forma principales: Sensaciones físicas, sentimientos, comportamiento y conocimiento.

Sensaciones físicas. Las respuestas físicas de tu cuerpo a la muerte de tu cónyuge pueden manifestarse en síntomas de presión en el pecho o garganta, palpitaciones cardiacas, malestar en el estómago, sequedad de boca y dificultades para respirar. Puedes experimentar interrupciones en tus hábitos alimentación o sueño. Recuerda que estos son síntomas normales del dolor por la pérdida del ser querido. Ten en mente que no hay dos personas que tengan la misma reacción ante la muerte de su pareja, pero hay temas similares. La pena no es una enfermedad, de modo que no hay razón para alarmarse por estos componentes físicos a menos que persistan por un período largo causándote un problema continuo en el desempeño de tus actividades cotidianas normales.

Si ese es el caso, será sabio que consultes con tu médico las opciones disponibles. Mientras tanto, trata de cuidarte comiendo con regularidad (aunque sea en pequeñas cantidades) y descansando cada vez que sientas necesidad de hacerlo. Cabe esperar que tus síntomas físicos disminuyan gradualmente a medida que empiezas a lidiar con tu pérdida.

Sentimientos. La ansiedad, el temor, el enojo, la culpa, la soledad, la tristeza y la depresión aparecen a menudo durante el proceso de duelo. Se experimentan con frecuencia en una forma parecida a la marea, en el que la intensidad del oleaje va y viene. Puedes sentirte inicialmente impresionado o aturdido incluso si la muerte de tu cónyuge era predecible. El aturdimiento es una respuesta protectora normal. Sin embargo, desaparecerá gradualmente. No es extraño que sientas ansiedad y temor en cuanto a tu propia supervivencia. Puedes tener intensos y fuertes arranques de enojo contra Dios, el personal médico, u otros individuos y circunstancias. En ocasiones, el enojo puede ir combinado con sentimientos de culpa y dirigirse contra uno mismo. La autoinculpación y los sentimientos de vergüenza pueden aparecer en forma de turbación, remordimientos y lamentos. Tú puedes mostrar un número de síntomas similares a los de la depresión, que están asociados con la expresión de duelo intenso. Puede aparecer auténtica depresión clínica si esos sentimientos se interiorizan y no son tratados debidamente. Los sentimientos son importantes y necesitan ser expresados, examinados y trabajar con ellos durante un cierto tiempo. Procura no pensar demasiado en declaraciones negativas acerca de ti mismo, puesto que esto sólo sirve para atacar tu autoestima. Eres valioso. Recuérdate a ti mismo con frecuencia tu propia importancia y que tú no moriste cuando falleció tu cónyuge.

Comportamientos. Los que están en el proceso del luto también exhiben algunos comportamientos comunes como llanto, preocupación, distracción, evitar el contacto con otros, distanciamiento de lo que les rodea, poca participación en actividades, poca conciencia del tiempo y los lugares y, en general, un sentido de apatía. Puedes soñar con tu cónyuge fallecido o sentir que está presente junto a ti. Algunos experimentan en este proceso alucinaciones visuales o auditivas, piensan de verdad que han visto u oído al ser amado. Estas reacciones son normales en el proceso inicial de la pena. Los viudos a menudo se aferran a pertenencias valiosas para ellos o a algunas prendas de vestir del fallecido. Pueden encontrar una asombrosa cercanía e intimidad con su amado por medio de estos recuerdos visuales.

Conocimiento. El duelo también se manifiesta por medio de cambios cognoscitivos. Con frecuencia los que han enviudado se encuentran preocupados consigo mismos y con la muerte de su compañero o compañera, y se ven a menudo desinteresados ante las actividades normales. Quisieran que el mundo parara. Después de todo, alguien importante ha muerto, ¿cómo puede ser que el mundo quiera seguir funcionando? Sienten a menudo que les resulta difícil concentrarse en las tareas normales. Pueden estar confundidos y empezar de verdad a pensar que ya nada es importante o relevante.

También puede cambiar la vida espiritual de estas personas. Algunas se acercan más a Dios y se aferran a sus prácticas religiosas. Otros pueden rechazarlo todo por completo porque se sienten abandonados por Dios. Aunque te pueda resultar extraño en esos momentos, no luches contra esas reacciones. Muchos de lo que experimentan la muerte del cónyuge también se enfrentan a una crisis de fe. Pero a la mayoría de ellos le será posible volver a una fe revitalizada. De manera que si te sientes enojado con Dios y quieres rechazarlo, al menos ten la seguridad de que Dios lo comprende y sabe por lo que estás pasando. Si, por otro lado, te está asiendo fuertemente de tu fe y sientes temor de expresar enojo contra Dios, confía en que él también puede tolerarlo. Al final podrás resolver tu batalla espiritual y estar en paz contigo mismo y con Dios. Trabaja en tu proceso del luto y Dios seguirá cuidándote y guiándote.

Las tareas del duelo

Como dijimos al comienzo de este capítulo, puede ayudarte más visualizar el proceso del duelo como una serie de tareas más que como una sucesión de pasos o fases. Las personas en esta situación experimentan ciertas tareas comunes, que tú tendrás que enfrentar a fin de conocer la otra cara del luto. William Worden, Theresa Rando y otros profesionales del campo de la salud mental han identificado algunas indicaciones básicas de las tareas del duelo.[3] Las he adaptado para incluir:

1. Reconocer y aceptar que tu cónyuge está muerto y que no volverá.
2. Permitirte a ti mismo experimentar todos los sentimientos relacionados con esa pérdida.
3. Encontrar un lugar en tu mente y corazón para los recuerdos del cónyuge fallecido que honre adecuadamente lo que los dos tuvisteis juntos, pero que también deje espacio para seguir adelante con tu vida.
4. Adaptarse a la vida de viudo decidiendo quién eres tú como individuo sin su cónyuge.
5. Reinvertir en tu vida conforme a tus propios deseos e intereses.

¿Te parece abrumador? No hay duda. Recuerdo cuando me di cuenta por primera vez de la profundidad de mi dolor y de cuánto trabajo tenía por delante para seguir con mi vida. Me parecía imposible, y contaba con muy poca motivación para dedicarme a trabajar en ello. Sin embargo, con tiempo y esfuerzo empecé a ponerme en marcha. Mis pensamientos y sentimientos no permanecieron estáticos. Poco a poco las cosas empezaron a tomar formas nuevas mientras caminaba a través de este proceso de luto. El proceso pasa por una serie de pequeñas victorias y retrocesos. Recuerda que dar unos pasitos a diario nos lleva lejos en el recorrido. C. S. Lewis observó acerca de su propio proceso de duelo: «No hubo una transición emocional repentina y sorprendente. Como el calentamiento de una habitación o la llegada de la luz del día; cuando te das cuenta ya ha estado ahí actuando durante algún tiempo».[4]

Mitos

Nos han llegado de generación en generación muchos mitos y estereotipos sobre «cómo tratar correctamente la situación». La alarmante realidad es que la verdad y la ficción se entretejen en muchos de estos estereotipos y desenredarlo resulta difícil. No hay duda de que la perspectiva más exacta sobre el duelo proviene de aquellos que han pasado por ese proceso.

Una vez, cuando hablaba en una reunión de los Servicios a Personas Viudas, me sorprendió la intensidad de las reacciones que los viudos tenían ante las expectativas que otros tenían de ellos. Se les veía frustrados, irritados y, a veces, heridos por los comentarios y expectativas irreflexivos. Se sentían completamente incomprendidos en un momento cuando los demás deberían rodearlos de empatía y comprensión. Las personas viudas no debieran tener que lidiar con la ignorancia o ingenuidad de otros en sus momentos de necesidad de ayuda y apoyo.

A través de mi experiencia personal y práctica clínica, he identificado la siguiente lista de mitos poco saludables y de creencias erróneas. Recuerda que, aunque muchas personas creen en ellos, son mitos. No son verdad.

Mito 1: El duelo se extiende por un tiempo determinado, pasa a través de pasos o fases definibles y debiera decrecer después de tres meses y concluir después del primer año.

Mito 2: La muerte repentina de un cónyuge es mucho peor que la causada por una larga enfermedad. La posibilidad de prever el luto hace que ese proceso resulte más fácil.

Mito 3: La pérdida de un hijo es mucho peor que ninguna otra.

Mito 4: Debieras mantenerte bien ocupado; permanecer demasiado tiempo solo no es bueno. Sigue adelante y ocúpate de tu vida presente en vez de centrarte en el muerto.

Mito 5: No te concentres en el hecho de que tu cónyuge ha muerto; no hables acerca de la pérdida del ser amado ni cuentes lo sucedido. Si no piensas en ello, desaparecerán los sentimientos. Si tienes que hablar acerca de tu cónyuge, di sólo cosas positivas como para elevarlo a la categoría de santo.

Mito 6: El viudo nunca logra superar la pérdida del cónyuge, y siempre sentirá el dolor. Para el que ha enviudado, la felicidad se acabó para siempre.

Mito 7: Todas las amistades anteriores se irán desvaneciendo y terminarán desapareciendo.

Mito 8: Aparenta y actúa como si fueras feliz aunque no lo sientas. Asegúrate de aceptar todas las invitaciones sociales incluso si no te sientes con ganas o, de lo contrario, poco a poco te dejarán fuera. Sigue llevando a cabo todas tus actividades anteriores, porque así honrarás la memoria del cónyuge fallecido.

Mito 9: Llevar tu anillo de boda significa que estás apenado; si te lo quitas quiere decir que has terminado con el tiempo de luto y que estás listo para las citas románticas.

Mito 10: Ahora que tu cónyuge ha muerto ya no eres una persona completa; hay un vacío que nunca se llenará.

Mito 11: Ir solo a todas partes o arreglártelas por ti mismo dice algo negativo o inferior acerca de ti, el síndrome de «debo ser indeseable o inadecuado».

Mito 12: Nunca podrás resolver los viejos conflictos que quedaron pendientes cuando tu cónyuge falleció, porque ya no podéis volver a hablar juntos.

Mito 13: Divertirse o reír mientras estás en el proceso del luto quiere decir que en realidad apreciabas a tu cónyuge.

Mito 14: Después de la muerte de tu pareja, debes proseguir con los mismos deseos que él o ella tenía en vida.

Mito 15: La viudez significa quedar sexualmente frustrado y no volver nunca más a tener alivio de tus presiones físicas.

Mito 16: Tener amigos del sexo opuesto cuando se está viudo significa que debes de estar interesado y pensando en tener citas románticas con ellos.

Mito 17: Vivir sin compañía es muy solitario; vivir por tu cuenta es menos deseable que hacerlo en compañía de otra persona.

Mito 18: Si tuviste un matrimonio feliz y completo antes de tu viudez, es menos probable que busques otra relación o segundas nupcias.

Mito 19: Los hombres necesitan más que las mujeres tener más dominio propio y tratar con conocimiento su pena.

Puedo entender por qué las personas viudas se sienten tan enojadas y frustradas con estas expectativas. Mi esperanza es que en tu caminar hacia la otra cara del duelo, puedas incluso empezar a educar a tu familia y amigos acerca del proceso. Lamentablemente, es muy probable que la mayoría de las personas no lleguen a entender tu pena y dolor hasta que ellos mismos experimenten la pérdida de su cónyuge.

¿Qué puedes hacer tú con estos mitos? Reconocer sencillamente que existe una gran cantidad de información errónea en cuanto al proceso del duelo e intentar permanecer lo menos afectado posible por estas expectativas y mitos tan poco saludables. En otras palabras, experimentar tus sentimientos en una forma genuina en vez de tratar de encajar en el molde de los demás. Reconocer que quienes nunca han sido viudos apenas tienen idea de lo que es en realidad ese proceso. Concédete la libertad de ser tú mismo mientras vas avanzando en ese proceso.

Duelo complicado

Tal vez ya te has dado cuenta de la gran amplitud de experiencias «normales» que se dan asociadas con el duelo. Tenemos la esperanza de que este conocimiento te asegurará que no te estás volviendo loco o experimentando algo anormal.

Sin embargo, por una razón u otra algunas personas fallan en el proceso del luto. Caen en la categoría conocida como *duelo complicado*. Se trata de algo que puede deberse a factores como:

- una relación ambivalente (hostilidad no expresada) con el cónyuge fallecido.
- las circunstancias que rodearon a la pérdida del ser amado son inciertas o no oficiales (es decir, el cuerpo no fue localizado).
- las circunstancias son socialmente inaceptables o negadas (como en el caso de muerte por SIDA o suicidio)
- un historial de reacciones complicadas ante la pérdida
- características personales que producen una incapacidad para expresar sentimientos o para tolerar angustia emocional.

¿Cómo saber si te encuentras en esa categoría de duelo complicado? Uno de los criterios principales es la cantidad de tiempo que pasas a diario en tu proceso de duelo, relacionado con el tiempo que lleva ya muerto el cónyuge. El proceso del duelo tiene el propósito de ayudarte a vivir y amar de nuevo. A medida que va pasando el tiempo, la pena debiera ser menos dominante en tu vida y al final debiera llegar a su fin. Este proceso puede ir más lento o complicado por la depresión, por un comportamiento autodestructivo o por prematuros cambios radicales de vida mediante los cuales uno sustituye drásticamente un grupo social o actividades. Si no se tratan estos asuntos en cuanto aparecen, tu proceso de duelo puede prolongarse de forma significativa. En la mayoría de los casos, el proceso de luto se resuelve en el plazo de uno a tres años después de la muerte del cónyuge. Después eso, si encuentras que sigues experimentando una pena intensa y renovada, como cuando tu cónyuge acababa de morir, si desarrollas síntomas físicos no confirmados similares a los del fallecido o una fobia acerca de la enfermedad o de la muerte, o si no estás dispuesto a lidiar con las posesiones materiales que pertenecieron al fallecido, tienes que procurar cuanto antes el análisis de un consejero o terapeuta especializado en el proceso de duelo.

Si tu luto se prolonga más allá de un período de tiempo razonable y ha quedado complicada por otros factores, cuentas con algunas opciones. Primera, revive con la ayuda de un consejero profesional los recuerdos que rodearon la muerte de tu cónyuge y que tú pudiste haber evitado. Segunda, sométete a un examen físico para descartar cualquier causa fisiológica. Tercera, empieza a trabajar con más dedicación en algunas de las tareas que se sugieren en los siguientes capítulos de este libro. Es muy importante buscar ayuda profesional para tratar el duelo complicado. Aparentemente has caído sin darte cuenta ante algunos obstáculos en tu proceso de la pena, y puedes beneficiarte mucho con una perspectiva objetiva que te ayude a avanzar hacia una resolución. No tengas temor de buscar ayuda profesional. Este proceso del duelo es una tarea laboriosa, y a veces se necesita ayuda para sanar y empezar de nuevo a vivir.

El pastor dice

Aun si voy por valles tenebrosos, no temo peligro alguno porque tú estás a mi lado; tu vara de pastor me conforta.

Salmo 23:4

La entrada al valle

Estas palabras del Salmo 23 se encuentran entre las más conocidas y citadas de la Biblia. Las memorizamos de niños y las cantamos en el culto de adoración. Al hacernos mayores, se convierten en una fuente de consuelo y seguridad cuando los miembros de la familia fallecen y son enterrados. Con frecuencia pensamos que los moribundos o agonizantes pasan por este valle. En realidad, el salmista tiene en mente algo diferente. No estaba pensando en personas que fallecen; sino en personas que estaban sobreviviendo. Estos atravesaban el valle rodeados de enfermedad, de muerte y otros obstáculos. Una manera mejor de leer este versículo, que tradicionalmente hemos memorizado como «valle de sombra de muerte», es «por valles tenebrosos».

Cuando el cónyuge muere es como si se apagaran las luces. Tu vida se hace oscura, triste y deprimente. Recuerdo que hace unos pocos años hablaba con los estudiantes del seminario donde enseño acerca de la muerte repentina de un hombre que todos conocíamos. Acababa de salir del templo y se encaminaba a su auto, cuando lo mataron de un balazo en un intento de atraco. De repente, tres hijos se quedaron sin padre, una amorosa esposa se quedó sola y todos ellos entraron en el valle. Los valles son oscuros, a menudo lugares sobrecogedores.

Entrar en el valle está con frecuencia más allá de nuestro control. Por lo general no escogemos ir allí. El cáncer nos golpea sin previo aviso. El corazón falla. Un conductor, bajo la influencia del alcohol, se pasa al otro carril de la carretera y mata a uno de nuestros seres amados, y entramos en el valle.

Sin embargo, el Salmo 23 nos dice claramente que nunca entras solo en el valle. Seguro que conoces de memoria las primeras palabras: «El Señor es mi pastor, nada me falta» (v. 1). El día después del fallecimiento de tu cónyuge estas palabras pueden parecerte vacías. ¿Qué quiere decir con «nada me falta»? ¡Quiero que me devuelvan a mi esposa! ¡Quiero vivo a mi esposo! Quiero que termine toda esta pesadilla. Esto es sólo un mal sueño.

Pero fíjate que antes de llegar al versículo 4, que se refiere a caminar por el valle, el salmista dice de Dios:

En verdes pastos *me* hace descansar.
Junto a tranquilas aguas *me* conduce;
me infunde nuevas fuerzas.
Me guía por sendas de justicia por amor a su nombre.

Salmo 23:2, 3 (cursivas añadidas)

¿Ves el cuadro? Dios es el pastor; él dirige a las ovejas. Tú no entras en el valle solo. Cuando las colinas se hacen más escarpadas y la luz del sol va menguando, la mano del pastor está lista para guiar, ayudar y consolar.

La inicial sorpresa, dolor, enojo e incredulidad desaparecerán. Llega un punto en que empiezas a mirar hacia arriba para ver quién está allí. Te das cuenta de que puedes contar con el Pastor. Él no sólo camina contigo, es él quien te dirige y guía.

Al entrar en el valle, sobrelleva los sentimientos de sorpresa, enojo e incredulidad. No niegues tus sentimientos; Dios comprende y tolera que tú le grites en tu frustración y angustia. Algunos amigos pueden decirte que no grites ni llores porque tu cónyuge está ahora en un lugar mejor. Puede que digan que no hay necesidad de lágrimas porque el sufrimiento se ha acabado. ¡Tonterías! Tú lloras tanto por ti como por tu cónyuge. Este no es el duelo de tu cónyuge; es el tuyo. Eres tú el que está entrando en el valle.

Sobrellevamos el valle

Entrar en el valle es una cosa, pero sobrellevarlo es otra. Recuerdo que cuando era niño escuchaba el programa de radio *El llanero solitario* (The Lone Ranger). Me sentaba con el oído pegado al altavoz de la radio. Mi papá me gritaba, diciendo: «No te pongas tan cerca de la radio que te vas a dañar el oído». Pero yo estaba fascinado con el hombre del antifaz que tenía agallas y habilidad para imponer justicia en todas las maldades que se cometían en el antiguo oeste americano y para rescatar a las víctimas inocentes. Aprendí acerca de cañones sin salida. Como no crecí en esa parte del país, no sabía que había cañones en las montañas que eran como un cuarto con una sola puerta. Tenías que salir por el mismo lugar por donde habías entrado. Cuando los malhechores se metían en uno de esos cañones sin salida, el Llanero Solitario los tenía atrapados. No había forma de escapar y el hombre del antifaz los capturaba.

El valle de la sombra de muerte no es un cañón sin salida. A pesar de que a menudo describimos nuestro proceso de luto como la caída en un agujero profundo (una imagen que da por supuesto que tenemos que salir por el mismo sitio por el que entramos), el valle de la sombra de muerte tiene salida al otro lado. El salmista deja bien en claro que pasas por el valle. No sólo puedes pasarlo, sino que el salmista nos repite que al atravesarlo «no temo peligro alguno porque tú estás a mi lado» (Sal. 23:4). Esto me parece asombroso. Cristo Jesús tuvo que recorrer solo el camino que llevaba a su muerte, pues todos le abandonaron. Los discípulos se durmieron, algunos huyeron, Pedro le negó. Cristo caminó solo; nadie pudo recorrer aquel camino con él. Y, en la cruz, debido al peso de nuestro pecado, aun Dios el Padre se separó momentáneamente de Jesús, haciendo que Cristo exclamara: «Dios mío, Dios mío, ¿por qué me has desamparado?» (Mt. 27:46). Dios se olvidó una vez de Cristo a fin de que nosotros nunca seamos olvidamos por él. Cristo prometió que nunca nos dejaría ni se olvidaría de nosotros. También prometió: «Les aseguró que estaré con ustedes siempre, hasta el fin del mundo» (Mt. 28:20).

Así que, Cristo camina con nosotros a través del valle. Y lleva consigo su vara y su cayado, instrumentos propios del pastor en la antigüedad para guiar y proteger. El pastor empleaba sabia y hábilmente su cayado para hacer regresar al rebaño a la oveja que se separaba. El mango del cayado en forma de codo era adecuado para enganchar la pata trasera de la oveja. Era como la extensión del brazo del pastor. El pastor extendía y giraba con un ligero movimiento el cayado al tiempo que caminaba al lado de la oveja, para corregirla con rapidez cuando se separaba.

Aun en nuestro luto necesitamos sentir la amorosa disciplina y dirección del pastor divino. Hay que tomar muchas decisiones con un cuerpo y una cabeza que no responden de la mejor manera. ¿Qué vamos a hacer acerca de la lápida?

¿Cuándo vamos a limpiar los armarios? ¿Estarán todavía los amigos a mi lado cuando todo esto haya pasado? El cayado del pastor nos guía al entrar en el valle.

El pastor también llevaba la vara, el instrumento que usaba para luchar contra los lobos. La vara del pastor es un símbolo de la defensa de Dios por su pueblo. Aun en este valle nada te dañará. ¿No nos dijo el apóstol Pablo con firmeza: «Pues estoy convencido de que ni la muerte ni la vida, ni los ángeles ni los demonios, ni lo presente ni lo por venir, ni los poderes, ni lo alto ni lo profundo, ni cosa alguna en toda la creación, podrá apartarnos del amor que Dios nos ha manifestado en Cristo Jesús nuestro Señor»? (Ro. 8:38, 39). Esa es la vara del pastor. Nada puede interponerse en el camino del pastor, ni siquiera la muerte de tu cónyuge, ni los días oscuros del valle. Él camina con contigo cuando entras en el valle, y te guía mientras sobrellevas las experiencias del mismo.

La salida del valle

El salmista también asegura que saldrás del valle. No pases por alto la palabra *por* en la frase «Aun si voy por valles tenebrosos» (Sal. 23:4). El propósito de Dios para ti no es que te quedes en tu dolor y desesperación. Los valles no duran para siempre. Los forman las alturas de los montes. Al salir del valle, la grandeza de la cima de los montes aparece ante tus ojos. Por eso los versículos 5 y 6 del Salmo 23 te dan una pista de la abundancia de bienes que hay a tu disposición al salir del valle. El banquete te espera. La mesa está llena de los mejores dones de la bondad de Dios. Los enemigos no pueden tocarte. Cuenta con la promesa del amor y la bondad eternas de Dios. Descansarás en la seguridad de los brazos de Dios el resto de su vida.

Las personas se abrazan mucho durante los funerales. Después del fallecimiento de mi esposa, algunos de mis amigos más cercanos tenían la libertad de abrazarme de vez en cuando. Los hombres también necesitan que los abracen. Necesitamos sentir literalmente los brazos de personas que nos aman. Queremos sentirnos vinculados. Esta es la promesa eterna que encontramos en el Salmo 23. Él nos tomará en sus brazos, nos sentiremos rodeados de su amor y nos sostendrá con seguridad durante el resto de nuestro caminar por la tierra.

La gente necesita valor para abrazarte. Algunos pueden actuar como si la muerte y la pena fueran contagiosas. Se alejan, generalmente por el temor de enfrentarse a su propia muerte. Pero cuando tu copa empieza a rebosar, tu experiencia puede en realidad ayudarles a ellos a enfrentar también su propia muerte. Aun al comienzo de tu duela, tu experiencia puede empezar a ministrar a otros en sus necesidades. La unción de la paz y la gracia de Dios fluyen copiosas sobre tu cabeza. Tu copa rebosa con la misericordia de Dios que alcanza a bendecir a otros. El consuelo que recibes por medio de Cristo empieza a confortar también a otros. Son fortalecidos juntos, y tú empiezas a salir a la plena luz que brilla al otro lado del valle.

Al mirar ahora hacia atrás y examinar los años pasados, a veces de verdad me pregunto cómo fue posible que superara el dolor. Entonces me doy cuenta que no fui yo quién lo hizo, sino Dios. «El Señor es mi pastor, nada me falta; en verdes pastos me hace descansar. Junto a tranquilas aguas me conduce» (Sal. 23:1, 2). Estoy de vuelta, disfrutando de los prados. Con la ayuda de Cristo he cruzado y superado el valle. Esa parte del recorrido de mi vida ha terminado.

Puede que tenga que caminar de nuevo por ese valle porque hay muchas personas en mi vida que amo entrañablemente y enfrentarse a la muerte nunca es fácil. Pero Dios, que me guió por el valle una vez, lo hará de nuevo. Ahora sé que ya sea que esté entrando en el valle de la muerte, sobrellevándolo o saliendo de él, no hay razón para temer mal alguno. Estoy seguro de que su bondad y su amor me seguirán todos los días de mi vida, y que en la casa del Señor moraré para siempre.

4

¿Cómo puedes tomar las riendas de tu propio luto?
Saca el mayor provecho del camino

«¿Y ahora qué vas a hacer?» ¿Con qué recurrencia has escuchado esa pregunta? Aparece un amigo al que no has visto desde hace algún tiempo. La conversación termina siendo un resumen de todo por lo que has pasado desde la muerte de tu cónyuge. Por lo general, unos pocos meses después del funeral otros conocidos tuyos empiezan a preguntar: «Bueno, ¿y ahora qué vas a hacer? ¿Vas a seguir viviendo en el mismo sitio? ¿Vas a viajar? ¿Te vas a buscar otro trabajo?»

Puede que inicialmente reacciones negativamente a estas preguntas. Después de todo, ¿qué puedo hacer? ¡Mi cónyuge ha muerto! Estoy solo. Soy una víctima. No me queda otra que sentarme y aguantarme.

En este capítulo vamos a considerar el mito de que eres impotente y víctima de las circunstancias. Eso tal vez sea verdad al principio, pero la buena noticia es que no tienes que seguir sintiéndote impotente al enfrentar la muerte de tu cónyuge. Puedes llegar a ese punto en que llegues a tomar las riendas de tu duelo. Tú puedes manejarlo, es decir, puedes programar el proceso del luto y hacer cosas *a propósito* para llegar a experimentar la otra cara del dolor. No estamos de acuerdo con el viejo dicho: «Con el tiempo todo pasa». El proceso del duelo requiere trabajo firme y deliberado por tu parte. En este capítulo y en el siguiente tocaremos algunas situaciones que quizás estés enfrentando tú. Sugerimos en cada caso algunas cosas que puedes hacer en relación con esos asuntos. Estas sugerencias te servirán como recordatorio de que tú, y solo tú, puedes tomar las riendas de tu duelo y así poder trabajar hacia la plenitud y sanidad.

La psicóloga dice

La adversidad de la que no aprendemos
es una adversidad desperdiciada.

Anónimo

¿Cómo puedes pasar por el proceso de duelo con mejor resultado? ¿Cómo puedes ayudarte a ti mismo para llegar a conocer la otra cara del luto? Daremos en este capítulo algunas sugerencias sobre tareas que te ayudarán a atravesar este duro tiempo de dolor. El propósito es llegar a superar la pena completamente. Creo firmemente que cada uno de nosotros puede influir en el desenlace de nuestro luto de manera que podamos al fin afirmar que ya hemos superado ese proceso. Eso no quiere decir que no vayamos a conservar recuerdos entrañables o un lugar especial en el corazón para nuestro cónyuge fallecido. En un sentido, tu vida nunca volverá a ser la misma. Sin embargo, puede ser una vida buena - incluso excelente- aunque diferente de la anterior. Es como el final de una canción y el comienzo de otra: no hay que pensar que la nueva vida esté quitando mérito a la que acaba de terminar.

La receta para emprender el proceso del duelo puede parecerte extraña. Pero si de todas formas vas a tener que sufrirlo, ¿por qué no trabajar todo lo que puedas para ayudarte? Sabemos que superar la pena requiere tiempo y trabajo, pero tú puedes decidir cuánto trabajo vas a poner en ese proceso. Lo entenderás mejor si consideras la analogía de negarte a ser como una barca sin motor, llevada de acá para allá por el viento y las olas; tienes que arrancar el motor y empezar a guiar tu barca a través de la tormenta hasta llegar a buen puerto. De esa manera, estarás facilitando tu progreso en el proceso del luto y haciendo todo lo que está en tu mano para llegar a conocer la otra cara del dolor. Espero que prefieras abordar activamente el dolor en vez de evitarlo.

A medida que consideramos una serie de asuntos que puedes estar enfrentando en tu travesía por el duelo, te iremos proporcionando sugerencias para ayudarte. Recuerda que aunque los asuntos pueden parecer de alguna forma progresivos, no hay fases o etapas. Te invitamos a echar mano de dichas sugerencias siempre que enfrentes esas situaciones.

Sugerencias prácticas

1. Asiste a tu seminario o grupo de apoyo.
2. Lee algunos buenos libros sobre el duelo.[1]

Aborda el sufrimiento

Mantén un diario

Sí, hazlo. Pero no tanto un diario de actividades y sucesos diarios, sino más bien un registro de tus sentimientos, emociones, reacciones y otros pensamientos asociados con tu estado mental presente.

Uno de los primeros beneficios de un diario así es que dedicas tiempo a ti mismo. Es el reconocimiento de que tú eres lo suficientemente importante como para dedicarte tiempo. Tu diario es como un amigo entrañable que te comprende del todo. Por medio de ese tipo de cuaderno, puedes entender mejor lo que estás pasando, lo que te molesta y lo que puedes hacer para sentirte mejor. Puesto que tu diario registra las emociones en distintos momentos, lo puedes usar de vez en cuando para evaluar tu progreso. Úsalo, pues, como un método para aliviarte, procesar pensamientos, identificar opciones y obtener mejor conocimiento de ti mismo.

Con el tiempo, puedes descubrir que la escritura de un diario específicamente dedicado a la pérdida de tu cónyuge quizá te lleve a escribir también sobre otros asuntos importantes. Al ir trabajando en tu proceso de luto, tendrás que tratar con otros muchos asuntos tales como los que consideramos en estos capítulos. Escribir este tipo de diario te puede ayudar a clarificar tus pensamientos y emociones en lo que concierne a múltiples asuntos.

Sugerencias prácticas

Empieza a escribir acerca de tu cónyuge fallecido respondiendo a las siguientes preguntas:

1. ¿Qué hecho más de menos en cuanto a mi cónyuge?
2. ¿Qué hubiera deseado pedirle o decirle a mi pareja?
3. ¿Qué hubiera deseado haber o no haber hecho?
4. ¿Qué hubiera deseado que mi cónyuge hubiera o no dicho?
5. ¿Qué hubiera deseado que mi pareja hubiera o no hecho?
6. ¿Qué es lo que valoré más de nuestra relación?
7. ¿Qué era perjudicial o irritante en nuestra relación?
8. ¿Qué recuerdos especiales tengo de mi cónyuge y cuáles de ellos voy a mantener vivos?
9. ¿Qué quiero conservar conmigo, para celebrarlo, como una parte de mi pareja y de nuestra relación?
10. ¿Qué situación de la vida me resulta difícil tratar ahora sin mi cónyuge?

Usa estas ideas como un trampolín para trabajar a través de otros asuntos que sean particularmente tuyos, de tu cónyuge fallecido, de vuestra relación o de lo que tú quisieras para el futuro.

Rituales funerarios y culto memorial

Para cuando hayas leído este libro, probablemente habrás celebrado ya las honras fúnebres por tu cónyuge. Este ritual inicia en realidad el proceso del luto, y en este momento del funeral ya puedes tomar las riendas de dicho proceso. Ese culto es un momento excelente para compilar todos los recuerdos del finado a quien amas entrañablemente.

Quizá te sientas tentado a evitar el culto en la funeraria o en el cementerio, pero estas actividades religiosas tienen una función vital en tanto que empiezas a enfrentar la realidad de la ausencia de tu cónyuge. Sin duda te vas a sentir herido, pero el dolor y la tristeza sólo subrayan lo importante que esa persona era en tu vida. Te puedes sentir tentado a usar medicamentos para aliviar la ansiedad o la depresión, pero los fármacos solo aportan un alivio temporal. Al final no tendrás más alternativa que enfrentar el dolor. Evita en lo posible la medicación, de modo que puedas sentir toda la fuerza de tus emociones. Aunque te parezca extraño, experimentar de frente y por completo el dolor de la pérdida es de gran ayuda para avanzar en el proceso del duelo. Haz todo lo que esté en tu mano para avanzar en el dolor, con la seguridad de que al enfrentarlo empezará a desvanecerse.

Sugerencias prácticas

1. Tan pronto como te sientas listo, vuelve a leer las tarjetas de condolencia y demás correspondencia recibida. Examina las referencias bíblicas y trata de memorizar los dichos, versículos y relatos que te ayuden.
2. Haz un inventario de otras expresiones de condolencia tales como flores, comidas y visitas. Recuerda quién estuvo a tu lado durante los primeros días de tu duelo y mantén esas amistades que te favorezcan.
3. Escucha la cinta grabada durante el funeral al menos una vez al mes. Busca tiempo para estar a solas y llorar, para reflexionar en quietud, para enojarte y estar en contacto con otras emociones. Tal vez estabas tan aturdido durante el servicio fúnebre que esos sentimientos pudieron quedar disimulados o suprimidos. Escucha de nuevo la meditación pronunciada en el funeral e incluso toma notas para referencia futura. Procura estar abierto tanto a las emociones como al consuelo extra que puedes recibir al escuchar la cinta.
4. Escribe las declaraciones consoladoras importantes que recibiste al fallecer tu cónyuge y en el funeral.

5. Escribe acerca de tus pensamientos y sentimientos conforme llevas a cabo lo anterior.

Objetos personales del difunto

En la misma tarde del día del funeral de Rick, mi hija y yo pensamos que sería práctico limpiar los armarios de los dormitorios. Así que emprendimos esa tarea, escogiendo entre todas las prendas de vestir de mi esposo. ¡Qué revoltijo se armó! Tuve al menos la presencia de ánimo necesaria para conservar las cosas más importantes hasta que pudiera decidir lo que quería hacer con ellas. Admito que fue de ayuda no tener que ver las pertenencias de Rick cada vez que abría los armarios, pero creo que hubiera sido mejor para mí haber sido yo quien tomara la decisión de encargarme más tarde, cuando estuviera lista para terminar la tarea. El mismo día del funeral era demasiado pronto para hacerlo, pues estaba todavía muy aturdida y desorientada por todo lo que había sucedido el día anterior.

Sin embargo, es recomendable revisar las pertenencias de tu cónyuge a las pocas semanas del funeral. Esta actividad puede resultar dolorosa, pero aquí tienes una tarea concreta que te puede ayudar a enfrentarte a la realidad de tu nueva vida. Quizá puedas hacerlo por fases, lo que yo llamo abordar el trabajo por etapas. Primero, retira las prendas de vestir que están en los lugares más visibles y ponlas en el fondo del armario o en el cuarto trastero. Después empieza a deshacerte de pertenencias con las que no te sientas emocionalmente vinculado y luego, poco a poco, vas evaluando lo que queda. Trata de decidir qué hacer con la mayoría de las prendas de vestir dentro de los seis meses siguientes al funeral. Procura terminarlo para cuando se cumpla el primer aniversario de la muerte del cónyuge.

Este proceso no tiene que ser todo o nada. A los dos años de la muerte de Rick, regalé al fin su bata de baño. Decidí que ya no la necesitaba como valioso recordatorio de su presencia. He conservado unas pocas prendas de vestir sencillamente porque me gustan, pero no porque tengan ya ninguna importancia emocional asociada con mi difunto esposo.

Sugerencias prácticas

1. Trata con las pertenencias de tu cónyuge conforme hemos descrito más arriba.
2. Decide qué quieres conservar como recuerdo y ponlo en un lugar o caja especial.

Planes de descanso y vacaciones

Unas vacaciones pueden proporcionarte una excelente oportunidad para alejarte de la presión de la rutina. Sin embargo, cuando estás en el proceso del duelo debieras examinar cuidadosamente tu motivación para hacer una escapada. No te va ayudar mucho tratar de salir si lo planteas como una manera de evitar o incluso negar lo que está sucediendo. Por otro lado, si la escapada te va a proveer de un tiempo de quietud y reflexión sobre tu nueva situación, entonces sí que te pueden beneficiar unas vacaciones.

Tú eres el mejor juez para determinar cuán directamente puedes enfrentarte al dolor de tu luto. Mi consejo es que lo enfrentes tan pronto y tan directamente como seas capaz, para que puedas proseguir con tu vida cuanto antes. Pero tal vez no te sea posible hacerlo todo a la vez, y un fin de semana o unos pocos días de vez en cuando durante el primer año pueden proporcionarte el alejamiento que necesitas para reflexionar y equilibrar tu perspectiva. No obstante, sé cuidadoso en no tratar de huir de una situación difícil porque tarde o temprano tendrás que enfrentar esos temores y dolores. Quizá te resulte un gran reto eso de irte de vacaciones solo durante los primeros meses o incluso durante el primer año del fallecimiento de tu cónyuge. La experiencia puede atemorizarte, especialmente si nunca hiciste algo así. Pero hacerlo te ayudará a percibir lo que va a significar vivir por tu cuenta y probablemente demostrará que cuentas con la capacidad de manejar las cosas por ti mismo. Enfrentar el dolor de tu luto es como empezar un programa de ejercicios y al final llegar a correr un maratón. Empieza lenta y suavemente, pero ten en mente la meta final: la sanidad.

Sugerencia práctica

Vete tú solo durante un día o un fin de semana a un lugar donde nunca hayas estado antes. Elige un lugar que sea atractivo para *ti*, disfrútalo por ti mismo y luego escribe acerca de tus experiencias.

Amor propio y cuidado de ti mismo

Tu sentido de autoestima es probablemente el factor clave para determinar tu capacidad de estar solo. Cuando te sientes cómodo contigo mismo, es muy probable que disfrutes de algo de soledad. Lo seguro de ti mismo que te sentías antes de la muerte de tu cónyuge va a determinar lo seguro e independiente te vas a sentir ahora. Si te veías como un individuo competente dentro de tu matrimonio, capaz de funcionar independientemente, es mucho más probable que te veas como una persona completa aunque ahora estés viudo o viuda. Por otro lado, si tu identidad dependía tanto de tu cónyuge que te veías a ti mismo como una añadidura y le necesitabas para conducirte en la vida, lo más probable es que necesites más tiempo para sanar.

Todo el que experimenta la muerte del cónyuge tiene que pasar por algunos ajustes en su propia autoestima. Es natural que se cuestione su propio valor y mérito. Mucho de ese sentido de valor procedía de la relación con el cónyuge. Cuando esa relación termina, algunas personas sienten que su vida se ha hecho añicos y ha terminado para siempre. Recuérdate con frecuencia que todavía tienes valor y mérito, no ya en tu función de cónyuge, sino como persona. Fuimos creados a imagen y semejanza de Dios, y eso no cambia cuando enviudamos.

Yo sentí personalmente la necesidad de validación de parte de amigos para saber que aunque Rick había muerto, ellos todavía me amaban y se preocupaban por mí. Necesité que me aseguraran que Rick no era la única razón por la que habíamos hechos cosas juntos. Me sorprendió notar lo necesitada que me sentía y cuánto quería (o necesitaba) esa reafirmación. Rick siempre había sido bueno para reafirmarme como persona. Después de su muerte, tuve que aprender cómo encontrar más de esa reafirmación a través de otros medios.

¿Hiciste cosas buenas por ti mismo antes de la muerte de tu cónyuge? ¿Fuiste alguna vez a un rincón favorito de la naturaleza, restaurante, establecimiento o reunión para disfrutarlo solo? Cuando tu cónyuge o tu familia querían hacer una cosa y tú querías otra, ¿defendías tu derecho? ¿Tomabas las decisiones teniendo en cuenta las opiniones de todos *incluyendo la tuya* o eras normalmente tú quien cedía? Si en tu conducta demostrabas que te valorabas a ti mismo lo suficiente para hacer cosas buenas aunque nadie más se beneficiara de ello, entonces no vas a tener tantas dificultades tras la muerte de tu cónyuge.

Cuidar de ti mismo es aun más importante ahora que tu cónyuge ha muerto. El proceso del duelo va a consumir mucha de tu energía física y emocional. Asegúrate de cuidarte tomando tres comidas al día, descansando lo suficiente y haciendo ejercicio de forma regular. Te resultará mucho más fácil cumplir con el resto de tus deberes si haces estas pequeñas cosas por tu propio bien. No has dejado de ser importante. Si mantienes un buen equilibrio en la alimentación, descanso y ejercicio, te sentirá en mejores condiciones para centrarte en tus pensamientos, lo que a su vez hará que tomes decisiones más sabias y convenientes. El duelo seguirá siendo un proceso difícil, pero al menos te estarás ayudando a ti mismo en todo lo que te sea posible.

Sugerencias prácticas

1. Describe lo que te gusta y no te gusta acerca de ti mismo, incluyendo tus puntos fuertes y débiles; imagínate que te estás describiendo ante alguien que no conoces.

2. Descríbete a ti mismo tal como piensas que tu cónyuge te veía a ti. ¿Qué es lo que a él o ella le gustaba o disgustaba acerca de ti y de vuestro matrimonio?
3. Escribe una descripción de la dinámica de tu matrimonio: lo que te gustaba hacer con tu cónyuge, lo que sólo hacías porque a él o ella le gustaba, cómo tomabais decisiones (cómo estaba repartido el poder), qué es lo que te habría gustado que se desarrollara más durante el tiempo que estuvisteis casados, y cómo hubiera sido entonces vuestro futuro juntos.
4. Traza un círculo y divídelo reflejando el porcentaje de tiempo y energía que empleaste en cada función o parte significativa de tu vida, incluyendo cónyuge, hijos, amigos, resto de la familia, trabajo, iglesia, organizaciones, actividades o intereses. Eso te ayudará a ver cuánto tiempo dedicaste a tu cónyuge en comparación con otros intereses.
5. Examina una lista de intereses y actividades en las que participabais tu cónyuge y tú. Puntúalos en una escala de cero a cinco basándote en la cantidad real de interés que tuviste personalmente por ellas comparado con el que tuvo tu cónyuge.
6. Procede a eliminar las actividades o intereses que hacías principal o exclusivamente por causa de tu cónyuge. Tú tienes ahora la libertad de hacer exactamente lo que quieres. Quizá nunca te dedicaste a tus propios intereses, simplemente porque tu cónyuge no mostró interés o rehusó involucrarse en ellos.
7. Vete a conocer esos lugares que querías ver o explorar (es decir, montañas, paisajes, playas, parques, restaurantes, acontecimientos cívicos, etc).
8. Busca oportunidades educativas para adquirir nuevas habilidades o seguir otras carreras.
9. Dedica tiempo a atender tus necesidades personales, como disfrutar de baños prolongados, hacerte la manicura, relajarte o hacer ejercicio.

Sé tierno y congruente contigo mismo

Eso de «sé tierno contigo mismo» puede sonarte un poco extraño. Uno puede ser tierno con un bebé, un perrito o alguien que necesita un cuidado especial. Pero recuerda, tú estás en un momento de tu vida en que necesitas cuidado especial, ¿y qué persona hay mejor equipada que tú mismo para darte esa ternura? Ser tierno contigo mismo quiere decir sencillamente que dediques todo el tiempo y el espacio necesario a los asuntos que son importantes para ti.

Los demás van a tener muchas expectativas en cuanto a ti. Pueden presionarte a hacer cosas que tú no quieres. Ser tierno consigo mismo significa que te permitas estar donde ahora mismo estás. Nadie conoce mejor que tú lo que más te conviene. Quizás a veces cuestionas tu propia capacidad para determinar lo que es mejor para ti. Con todo, tú lo sabes mucho mejor que los demás.

Una buena estrategia es aprender a confiar en tus sentimientos e inclinaciones. Pregúntate cómo piensas (tú, no los demás) y sientes acerca de una situación en particular. Luego actúa consecuentemente con tus pensamientos y sentimientos. Eso es lo que significa ser congruente: mantener alineados tus pensamientos, sentimientos y comportamientos. Por ejemplo, te pueden invitar a ir a cenar con otra pareja. Tú piensas que te va a resultar difícil estar a solas con ellos y entablar una conversación; te sientes incómodo acerca de esa posible situación; en consecuencia, tu comportamiento o acción es declinar la invitación. Eso significa ser congruente contigo mismo y sirve para mantener tu integridad. Puede que más adelante decidas que ya estás listo para manejar la situación, pero procura siempre ser congruente con tus pensamientos y sentimientos.

Hacer aquellas cosas que te resultan irritantes o incómodas puede comprometer tu integridad. No hagas lo contrario de lo que piensas y sientes; confía en tus sentimientos. En vez de interiorizarlos o reprimirlos, síguelos, al menos en las primeros momentos de tu proceso de duelo. Ten valor para decir no. Ya tendrás tiempo después para indicar a tus amigos que estás listo para participar en las reuniones y actividades del grupo.

Sugerencias prácticas

1. Haz una lista de algunas de las próximas expectativas sociales que la gente puede tener en cuanto a ti. Escribe acerca de tus pensamientos y cómo te sientes acerca de esas expectativas y entonces ten preparada una respuesta apropiada.

2. Escribe dos o tres declaraciones que te recuerden que nadie te conoce mejor que tú mismo (por ejemplo, «Necesito confiar en mis propios sentimientos», «Pocas decisiones en la vida están escritas en piedra», «Seré yo mismo»). Repítete estas declaraciones varias veces al día, sobre todo cuando tengas que tomar decisiones acerca de tus actividades. Esta práctica se conoce como hablarse a uno mismo positivamente.

Las llamadas «primeras veces»

Pronto descubrirás que casi todas las cosas que vas a hacer después de la muerte de tu cónyuge, las harás por primera vez. Tendrás que tomar tu primera comida solo, ir al templo solo por primera vez, celebrar solo el cumpleaños de un hijo por primera vez. Puede resultarte muy difícil enfrentarte a estas «primeras veces». La muerte del cónyuge ya es de por sí bastante dolorosa, pero ahora hay que enfrentar también el dolor de la propia soledad.

Ahora tienes que lidiar con este asunto: ¿Cómo vas a ocuparte de estas primeras veces, especialmente las fiestas, los cumpleaños y aniversarios? ¿Quieres empezar una tradición totalmente nueva para la celebración de estos acontecimientos o prefieres seguir haciéndolo de la manera acostumbrada? ¿O quieres encontrar una forma de combinar lo antiguo con lo nuevo? Obviamente nadie puede decirte qué será lo mejor para ti. Cada una de las tres opciones tiene algo de valor dependiendo de dónde te encuentres en el proceso del luto. Una forma de evitarlo es desde luego huir de la escena, aunque seguro que a la larga no es la mejor y más sana manera de lidiar con estas festividades. Sin embargo, si te sientes muy débil e incapaz de enfrentarte con ello en estos momentos, puede que esa sea la decisión más razonable. Por otra parte, hacer las cosas como siempre las has hecho es una manera rápida de recordar que tu cónyuge ya no está contigo. Este método te llevará a enfrentarte clara y directamente con la realidad de la pérdida. ¿Estás listo para eso?

Si combinas formas antiguas con otras nuevas tendrás la oportunidad de evaluar las tradiciones valiosas al tiempo que vas dando los primeros pasos para empezar de nuevo. Algunas de tus tradiciones eran importantes porque representaban sobre todo los arreglos acordados con tu cónyuge. Ahora que estás solo, esos arreglos no son necesariamente válidos. De forma que ahora tienes la oportunidad de evaluar lo que valoras más acerca del pasado y cómo puedes hacer que las futuras celebraciones sean realmente tuyas.

Sugerencias prácticas

1. Escribe acerca de cuáles eran las tradiciones de fiestas más valiosas y menos valiosas para ti.
2. Distingue entre lo que hacías porque era el deseo de tu cónyuge en oposición o lo que tu preferías. Decide cuál de estas cosas prefieres conservar.
3. Decide qué nuevas tradiciones o costumbres te gustaría incorporar a tus celebraciones de fiestas familiares porque son consecuentes con tus deseos personales.
4. Escribe, antes de la celebración de ese día especial o fiesta, acerca de tus expectativas y temores. Explora opciones sobre cómo podrías manejarlas eficazmente.
5. Repítete que estar vivo es una razón suficiente para disfrutar de la fiesta todo lo que puedas.
6. Escribe acerca de formas positivas en las que puedes manejar los retos de las fiestas. Reafirma estas actividades positivas y examina qué podrías hacer de otra manera la próxima vez.

Promesas y expectativas: *Nada es sagrado*

Qué hacer con promesas que hayas hecho a tu difunto cónyuge es un aspecto muy delicado. Por una parte, quieres honrar y respetar sus deseos. Pero muy a menudo resulta que el tiempo y las circunstancias han cambiado. Puede también suceder que empieces a ver estas cosas de manera diferente. Las decisiones están directamente influidas por muchos factores. Al igual que con las determinaciones que tomaste en relación con las fiestas, todas las decisiones que tomasteis juntos fueron probablemente el resultado de una alguna clase de compromiso. No sólo eso, sino que las decidisteis dentro de un período de tiempo específico. Pero el tiempo ha seguido adelante. Incluso tu cónyuge podría haber cambiado de idea en cuanto a algunas de estas cosas ahora que las circunstancias son diferentes.

Sin duda alguna tu pareja valoraba y confiaba en tus decisiones. Concédete la libertad de evaluar las anteriores determinaciones y tomar otras nuevas cuando sea apropiado. Ten la seguridad de que tu cónyuge y tú compartíais muchos valores. Las decisiones que tú continuarás tomando reflejarán sin duda esos valores. Tu vida sigue adelante, y tienes que vivir con las nuevas determinaciones. Otórgate el crédito y la autoridad para tomar las mejores decisiones que puedas.

Sugerencias prácticas

1. Identifica las promesas o normas que teníais tu cónyuge y tú. Escribe con cuáles de ellas estás todavía de acuerdo y por qué. ¿Cuáles cambiarías y por qué?
2. Conversa sobre los dilemas que se presenten con amigos de confianza que te escuchen con atención, con el fin de tener otra perspectiva.
3. Identifica los valores y creencias que estás ahora incorporando en la toma de decisiones de tu vida.

El proceso del duelo no pasa así como así

«Date tiempo», son palabras con las que lucho a menudo. Probablemente ya te has dado cuenta de que uno de los temas de este libro es que la persona afectada se haga cargo de su proceso de luto y aprenda a manejarlo; el tiempo por sí solo no es suficiente para traer la sanidad y plenitud que se necesitan, pero sin duda puede ser tu aliado.

En este libro sugerimos tareas y ejercicios específicos que pueden ayudarte a enfrentar el dolor del luto y seguir adelante a partir de ahí. Ya hemos dado una serie de sugerencias en este capítulo que te ayudarán a conocerte mejor a ti mismo y a tener una perspectiva más correcta de los cambios en tu vida.

Permíteme resumir unas pocas sugerencias más que te servirán para llegar a conocer la otra cara del duelo.

Sugerencias prácticas

1. Habla contigo mismo, ya sea en voz baja o en voz alta. Ya comentamos antes sobre hablarte de una forma positiva, cuando recomendamos la repetición de ciertas palabras, frases o dichos que te recordarán lo más apropiado y conveniente que puedes hacer. Ejemplos de una forma de hablar positiva contigo mismo son: «Tengo que vivir mi propia vida», «Puedo tomar decisiones por mí mismo», «Tengo derecho a ser feliz de nuevo». No dudes en hablarte a ti mismo también en voz alta. Soy consciente de los chistes que se cuentan acerca de hablar solo en voz alta, pero hemos sido creados con la capacidad de procesar las cosas con conocimiento y de verbalizarlas para llegar a conclusiones. Cuando tu cónyuge murió perdiste tu otra mitad: la persona que mejor te conocía. Tienes que encontrar la manera de seguir este proceso de razonamiento ahora sin la presencia de tu cónyuge. Es cierto que puedes hablar con un amigo íntimo y de confianza, pero ni siquiera con una persona así tendrás el nivel de relación íntima que tuviste con tu pareja. Así que dedica tiempo a procesar los asuntos contigo mismo, háblate en voz alta para entender mejor lo que está pasando y lidiar con ello. Verbalizar tus pensamientos te ayudará a expresarlos de una forma más definida y concreta.

2. Piensa acerca de algunos de tus recuerdos más queridos (esto es, la luna de miel, los momentos gozosos de la paternidad, el primer y último beso) y reflexiona sobre ellos. Disfruta deleitándote en los recuerdos. Revive en tu memoria cada detalle. Uno de los logros más saludables que puedes tener es trasladar estos recuerdos a un lugar seguro y accesible en tu mente y corazón. Busca un lugar tranquilo para revivir estos momentos favoritos. También te puede ayudar escribir sobre ellos después de haberlos disfrutado en tu imaginación.

3. Usa tu creatividad a la hora de hacerte con los pensamientos y sentimientos sobre momentos especiales o conflictos que pudiste tener con tu cónyuge. Escribe algunos poemas, haz algunos dibujos, teje un edredón con retales y con un diseño que tenga sentido para ti, prepara un libro de recuerdos o un álbum de fotografías, o escribe algún relato breve de tu vida con tu cónyuge fallecido, incluyendo hechos reales, así como tus propias descripciones. Revisa y organiza fotografías para hacer un vídeo para tus hijos y para ti.

4. Escribe una carta a tu difunto cónyuge en varios momentos del proceso del luto. Piensa en escribir una poco tiempo después del funeral, háblale en ella de cómo te sientes por causa de su muerte, de lo que estás pensando u otras cosas que tú crees que él o ella quisiera saber. Puede que te guste escribirle

cartas en días de fiestas especiales, cumpleaños, aniversario de boda o en el aniversario de su muerte. Estas cartas serán mucho más saludables si incluyen todo lo que estás pensando y sintiendo, tanto las luchas como los goces de tus recuerdos y experiencias.

5. Escribe cartas a las personas que fueron importantes para ti durante la enfermedad y muerte de tu cónyuge. Dales a conocer tus pensamientos y sentimientos, especialmente en relación con su participación. Expresa tanto tu aprecio como la incomodidad que puedes haber tenido. Abrir tu corazón y derramar tus sentimientos, incluso si eso no parece aceptable, es más saludable que tratar de censurar tus expresiones y forzarte a ti mismo a ser cortés. No es necesario que envíes estas cartas. Escribirlas puede ser suficiente para tus propósitos, o puedes decidir enviar una versión editada.

El pastor dice

Todo lo puedo en Cristo que me fortalece.

Filipenses 4:13

¿Quién tiene el control?

La breve carta del apóstol Pablo a los filipenses no fue originalmente diseñada como una especie de manual para consolar a los que han sufrido la pérdida de un ser querido. El contexto es una iglesia que estaba a punto de sufrir la persecución mientras que su pastor fundador (el apóstol Pablo) se encontraba bajo arresto domiciliario en Roma. Sin embargo, su situación sugiere ciertos paralelismos con el proceso del luto.

Permíteme destacar algunos versículos que constituyen el trasfondo de la confianza de Pablo para animar a los hermanos y hermanas a perseverar bajo una persecución creciente:

Siempre oro con alegría... Estoy convencido de esto: el que comenzó tan buena obra en ustedes la irá perfeccionando hasta el día de Cristo Jesús.

Filipenses 1:4-6

Porque para mí el vivir es Cristo y el morir es ganancia... Me siento presionado por dos posibilidades: deseo partir y estar con Cristo, que es muchísimo mejor, pero por el bien de ustedes es preferible que yo permanezca en este mundo.

Filipenses 1:21-24

La actitud de ustedes debe ser como la de Cristo Jesús, quien, siendo por naturaleza Dios, no consideró el ser igual a Dios como algo a qué aferrarse. Por el contrario, se rebajó voluntariamente.

Filipenses 2:5-7

Lleven a cabo su salvación con temor y temblor, pues Dios es quien produce en ustedes tanto el querer como el hacer para que se cumpla su buena voluntad.

Filipenses 2:12-13

Conocer a Cristo, experimentar el poder que se manifestó en su resurrección, participar en sus sufrimientos y llegar a ser semejante a él en su muerte. Así espero alcanzar la resurrección de entre los muertos.

Filipenses 3:10-11

Alégrense siempre en el Señor: ¡Alégrense!... No se inquieten por nada; más bien, en toda ocasión, con oración y ruego, presenten sus peticiones a Dios y denle gracias. Y la paz de Dios, que sobrepasa todo entendimiento, cuidará sus corazones y sus pensamientos en Cristo Jesús.

Filipenses 4:4-7

He aprendido a estar satisfecho en cualquier situación en que me encuentre... Todo lo puedo en Cristo que me fortalece.

Filipenses 4:12-13

Te hemos estado animando a que te hagas con el control de tu proceso de duelo. Desde la perspectiva de la salud mental ese es un consejo muy sabio. La Biblia, sin embargo, nos presenta un equilibrio difícil de obtener en este asunto del control. El gran debate teológico está entre la soberanía de Dios y nuestra responsabilidad. ¿Quién es el responsable de tu sanidad? ¿Puedes hacerlo tú o lo hará Dios?

A mí me parece que es una falsa pregunta. En realidad, Dios te usa a ti; Dios obra por medio de ti. Pero resulta difícil encontrar el equilibrio entre tomar tú la responsabilidad y confiar en que Dios hará que todo salga bien. Yo tuve que enfrentarme a esa situación muy pronto en el proceso del duelo.

Me asombra la afirmación de Pablo de que había «aprendido a vivir en todas y cada una de las circunstancias» (Fil. 4:12). El contentamiento no es una característica íntimamente asociada con mi vida. De hecho, creo que pocos de nosotros estamos de verdad contentos, especialmente cuando nuestra vida ha sufrido un trastorno tan grande como la muerte del cónyuge. Esta falta de contentamiento puede deberse sobre todo al hecho de nacer hombre. En nuestra cultura, se dan ciertas expectativas en cuanto a los varones. Se espera que sean fuertes, controladores y seguros de sí mismos. Además de eso, soy De Vries. Puede que esto no signifique mucho para ti, pero el clan de los De Vries lleva estos rasgos de la masculinidad hasta su grado máximo. Fuimos educados para ser individuos de éxito y, no obstante, compasivos y amables.

Soy también, por vocación y llamamiento, pastor, y me he identificado con el dicho de Jesús de que él «no vino para que le sirvan, sino para servir y para dar su vida en rescate por muchos» (Mt. 28:20). No sé cuántas veces he tratado de cumplir literalmente ese mandato de dar mi vida en sacrificio por otros.

De modo que lucho con este asunto del control. Reflexionamos en el capítulo 1 sobre cómo es Dios quien tiene en definitiva el control. Ya hemos visto el control de Dios como el Buen Pastor que nos guía a través del valle. ¿Pero qué significa eso para nosotros? ¿Quiere decir que tú y yo sólo debiéramos sentarnos y esperar a que Dios nos saque de la situación? No lo creo. El asunto de trabajar con nuestro proceso de luto no es una dicotomía como la siguiente: «O Dios me ayuda a pasar por toda esta situación o lo hago yo por mí mismo». La vida cristiana siempre se caracteriza por ambas cosas. Ya hemos mencionado más arriba uno de los pasajes asombrosos de las Escrituras: «Lleven a cabo su salvación con temor y temblor, pues Dios es quien produce en ustedes tanto el querer como el hacer para que se cumpla su buena voluntad» (Fil. 2:12-13). Aquí no hay opción para ti. No te enfrentas a la situación de que o bien lo hace Dios o lo haces tú. Los dos lo hacéis, sabiendo que al tiempo que tú aplicas tu propia energía, Dios ya está obrando en ti guiándote, sosteniéndote y dirigiéndote.

Hazlo por medio de Dios

Durante el proceso del duelo necesitas encontrar formas de afirmar tu propio control sin dejar de reconocer que es Dios quien capacita para enfrentar estos retos. Basándote en las palabras de Pablo en su carta a los filipenses, ¿cuáles son algunas de las cosas que puedes hacer?

1. *Cultiva tu confianza en Dios.* Filipenses 1:4-6 nos invita a recordar que Dios nunca abandona. Dios no empieza algo y luego se cansa y lo deja. Te hemos presentado la idea de escribir acerca de tus sentimientos, emociones y reacciones a los varios asuntos que enfrentas en el proceso de luto. También puedes cultivar un diario espiritual.

Mi madre falleció diez años después que mi padre. Durante aquel intervalo de tiempo, mi madre viuda escribió un buen número de sus oraciones. Ninguno de sus hijos se enteró de esto hasta después de su fallecimiento. Lo descubrimos al revisar sus cosas, encontramos un gastado cuaderno de notas. En sus hojas había palabras preciosas de una amada santa de Dios que luchaba con este mismo asunto de la confianza en él. «¿Por qué, Señor? ¿Cómo puedo creer en tu bondad cuando me encuentro metida en esta situación?» Sin embargo, con el paso de los meses y de los años se podía percibir que recobraba su confianza en que Dios terminaría la buena obra que había empezado en ella.

Escribe tus oraciones. Escribe acerca de tus sentimientos, emociones y luchas con Dios. Trata de hacer una lista de las cosas que Dios ha hecho por ti hasta este momento. Recuérdate a ti mismo que Dios ha hecho cosas buenas por ti, y que él no te va a dejar ahora.

2. *Desarrolla algo de confianza en ti mismo.* Filipenses 2:5-11 está lleno de misterio teológico. Allí te encuentras cara a cara con el misterio de Dios al hacerse hombre. Estás cara a cara con Dios mismo en la persona de Cristo, quien sufrió y murió. Te enfrentas cara a cara con el misterio de la resurrección. Pero la intención del apóstol Pablo en este pasaje es mucho más sencilla. Su propósito era animar a los filipenses, y a nosotros, a tener confianza en nosotros mismos. Toda esta sección comienza con la exhortación de «La actitud de ustedes debe ser como la de Cristo Jesús» (Fil. 2:5). De alguna manera, lo que Cristo hizo debe servir de modelo para nosotros.

Este pasaje puede causar algo de confusión acerca del asunto del amor propio o autoestima. Muchos pastores y creyentes leen estos versículos para sugerir que la humildad significa que uno debe negarse o renunciar a sus propios derechos. Yo debiera ser manso y humilde, no preocuparme por mí mismo porque, después de todo, ¿no es así como obró Jesús? La respuesta es «no exactamente así».

Jesús nunca renunció a su verdadera identidad. Él nunca dejó de ser la segunda persona de la Trinidad. Jesús nunca se olvidó de ser quien realmente era. Sus circunstancias cambiaron dramáticamente, se trasladó desde el cielo a la tierra y adoptó nuestra forma humana, pero nunca renunció a su propia esencia. Piensa en eso por un momento. Si Jesús, al hacerse hombre y descender a la tierra, hubiera renunciado a ser Dios entonces nunca hubiera podido llevar a cabo lo que hizo. No hubiera podido realizar milagros. Hubiera carecido del poder para perdonar pecados. Sobre todo, no hubiera podido sufrir y soportar la cruz. Precisamente porque él continuó siendo verdadero Dios, pudo llevar a cabo todas estas cosas.

¿En qué sentido te afecta eso a ti? Pablo nos dice que «La actitud de ustedes debe ser como la de Cristo Jesús». Tienes que ser consciente de que tus circunstancias han cambiado. Tienes que saber que probablemente vas a pasar por experiencias que nunca querías soportar. Pero en última instancia recuerda que tú sigues siendo tú. Todavía eres un hijo de Dios. Todavía dispones de los mismos dones, habilidades, intereses y pasiones que tenías antes de la muerte de tu cónyuge. Su muerte no ha cambiado lo que esencialmente eres. Eres un hijo del rey, y como tal debes hacerte cargo de tu situación como Cristo lo hizo.

Durante tu tiempo de duelo, tienes derecho a decir a los demás lo que te gustaría hacer o no hacer. Tienes derecho a decir sencillamente: «Quiero un poco de tiempo para estar solo». Tienes derecho a conservar unos pocos recuerdos preciosos por un tiempo. También tienes derecho a decidir cuándo deshacerte de las pertenencias de tu difunto cónyuge.

En realidad, es muy posible que necesites tiempo extra para descubrir quién eres realmente. Al haber estado casado por un cierto número de años, necesitas tiempo (por lo general a solas) para averiguar lo que realmente significa estar solo. Puede que encuentres que un retiro espiritual te ayude. Puedes irte solo a un lugar de tu elección o acudir a un centro de retiros espirituales que cuenta con personal preparado que te puede ayudar a encontrar el camino en tu proceso de duelo.

Al final, sin embargo, tendrás que reavivar la confianza en ti mismo. Saber que en última instancia tu identidad y tu autoestima quedan determinadas por una relación fundamental: tu relación con Dios como hijo suyo.

3. *Desarrolla confianza en el futuro.* Los pasajes de las Escrituras mencionados antes están todos basados en el supuesto de que tienes un futuro asegurado. Pablo, anciano y encarcelado, se encontraba de verdad indeciso entre su deseo de morir y su sentido de obligación para permanecer y continuar con su ministerio.

Hacia el final de su vida, Char deseaba morir. Estaba cansada de la lucha por vivir y el dolor que sufría era cada vez más intenso. Se encontraba desgarrada, sin embargo, porque otra parte de su ser quería permanecer. Quería estar presente cuando su hija contrajera matrimonio y para cuando naciera el primer nieto. Pero ella sabía que, al final, todos morimos. Su hora había llegado.

Pablo habla acerca del gozo en medio del sufrimiento, el triunfo frente a la muerte y la paz en medio de las pruebas y dificultades. Pero todo esto descansa en lo que él llama «la paz de Dios» (Fil. 4:7). Se trata de una paz que sobrepasa todo entendimiento; pero es también una paz que tú puedes experimentar en su plenitud, de forma que al final puedas decir con Pablo: «He aprendido a vivir en todas y cada una de las circunstancias» (véase Fil. 4:12).

Tú puedes volver a vivir con contentamiento. Puedes encontrar esa paz. Dios ha prometido que esa posibilidad está ante ti, pero también dice que tienes que trabajar y llevarlo a cabo. Tienes que responsabilizarte de tu propia vida. Tienes que ocuparte en tu propia salvación (Fil. 2:12) o, en este caso, tienes que trabajar en tu propio proceso de duelo. Pero hazlo sabiendo que Dios está obrando en ti conforme a su buena voluntad. Al ir avanzando en tu proceso de luto, aférrate a la promesa final de Pablo en esta carta a los filipenses: «Así que mi Dios les proveerá de todo lo que necesiten, conforme a las gloriosas riquezas que tiene en Cristo Jesús» (Fil. 4:19).

5

※€

¿Cómo puedes proceder en tu duelo?
Hay que enfrentar los obstáculos del camino

Creemos que la persona viuda enfrenta mejor su pena dándose cuenta, a medida que van pasando los días y los meses, de que tiene que tomar las riendas de su propia vida, enfrentando directamente una serie de asuntos o tareas, y diseñando un proceso que la lleve de nuevo a la salud y a la plenitud. Creemos firmemente que el luto es un proceso que tiene un final. No tienes que continuar doliéndote el resto de tu vida. Los que dicen que nunca vas a lograr superarlo están deformando lo que es verdaderamente posible. Por supuesto, tú nunca vas a perder tus recuerdos preciosos; nunca vas a olvidar los meses y años que disfrutaste con tu pareja. Pero debemos demostrar que no es cierto el mito de que nunca vas a volver a ser feliz, de que nunca vas a volver a funcionar como una persona sana y completa. Incluso los que no han experimentado la muerte de su cónyuge se enfrentan a menudo a la necesidad de empezar de nuevo. Se pueden enfrentar a un cambio en su carrera, a hijos que crecen y se emancipan, o a un traslado para vivir en otro lugar. Estos son algunos ejemplos de tener que empezar de nuevo. Y tú, como alguien que ha perdido a su cónyuge, debes también empezar de nuevo.

En el capítulo 4 empezamos a considerar algunos de los asuntos básicos asociados con el proceso del duelo. Continuaremos aquí con esas reflexiones. Los asuntos de estos dos capítulos tienen un ligero orden cronológico, pero no queremos implicar con ello que representan fases a atravesar. Más bien, los asuntos están de alguna manera cronológicamente condicionados. Algunos pueden persistir por más tiempo a lo largo del proceso del luto, como la soledad. Otros pueden presentarse solo en determinados momentos o cuando ya vas en camino a la sanidad.

La psicóloga dice

La capacidad para estar solo está vinculada al descubrimiento de uno mismo y a la autorrealización, con la conciencia profunda de las propias necesidades y de los sentimientos e impulsos.

Anthony Storr, *Solitude: A Return to Self*

Soledad

¿Te sientes solo? ¿Piensas que nadie conoce o se preocupa por lo que te está ocurriendo? Recuerdo un tiempo, unos cinco o seis meses después de la muerte de mi esposo, que sentí que yo podía morir y que podían pasar días sin que nadie se enterase y ni muchos menos se interesase en ello. Me entró un profundo sentimiento de vacío. Hiere pensar en la realidad de que nadie en la tierra se interesa por ti y por lo que te ocurre tan intensamente como lo hacía tu difunto cónyuge. Experimenté un sentimiento de total soledad ligado a un profundo dolor, desesperanza e impotencia.

Es obvio el sentimiento de soledad frente a la muerte, ante la realidad de que cada uno tiene que enfrentar solo su propia muerte. Tal vez ayudaste a tu pareja durante el proceso de sus últimos días, contó contigo como un alma gemela durante ese difícil tiempo. Ahora, como viudo, te enfrentas a la espantosa posibilidad de que tú nunca tengas un alma gemela así cuando te llegue la hora.

Unos cuatro meses después de la muerte de Rick, estaba en un partido de baloncesto y me encontré con una pareja con la que mi esposo y yo nos habíamos relacionado antes de su fallecimiento. Me encontré bien mientras duró el partido, pero la realidad de mi soledad me golpeó duro cuando me encaminé hacia mi auto y observé a la mencionada pareja irse juntos, mientras que yo me tuve que ir sola, sin Rick. Aquello fue más de lo que podía aguantar. Mientras me dirigía sola a casa, las lágrimas apenas me dejaban ver la carretera.

Entonces, un día, todavía atrapada en este sentimiento de aflicción y soledad, di un paseo por uno de mis parques favoritos cercano a casa. Me encontré a mí misma clamando a Dios por su ayuda, rogándole que me quitara aquel dolor. Entonces sentí una respuesta clara como el agua. No fue un golpe como de un rayo, pero empecé a darme cuenta de que Dios me había dado ya las herramientas para ayudarme a mí misma. Si quería sentirme mejor, tenía que hacerme cargo de mi propia vida. Tenía que darme cuenta que nadie lo iba a hacer por mí, tenía que hacerlo yo. Allí mismo tomé la decisión de embarcarme en un camino nuevo de sanidad. En vez de simplemente reaccionar a las otras personas y circunstancias, empecé a tomar la iniciativa. Al principio hice solo unas pocas cosas, pero con cada iniciativa me sentía mejor y más fuerte. Me estaba haciendo cargo de las cosas que yo sentía podía manejar por mí misma.

La soledad es un sentimiento horrible. No confundas la soledad con meramente estar solo, hay una gran diferencia. Puedo estar solo y no sufrir de soledad. De hecho, algunas veces encuentro que estar solo es muy renovador. Pero a muchas personas les han enseñado que estar a solas es aborrecible. No obstante, tanto desde la perspectiva de la salud mental como de la cristiana es algo muy saludable. Las personas que se aprecian a sí mismas pueden estar perfectamente solas y disfrutar de ese tiempo sin sentirse inadecuadas o incompletas. Un factor clave para disfrutar cuando estás solo es tener personas en tu vida que se preocupan por ti. Su apoyo y relación equilibran el tiempo que estás a solas.

Por otro lado, a veces puedes estar rodeado de personas y aun así experimentar soledad. Puedes estar experimentándolo ahora mismo, porque muy pocas personas saben cómo te sientes o comprenden por lo que estás pasando. El duelo no es solo un camino por el que viajas solo, sino que puede ser también un camino solitario. Tienes que saber que los sentimientos de soledad son normales y que irán desapareciendo con el tiempo, especialmente si empiezas a tomar la iniciativa para aprender a sentirte cómodo contigo mismo cuando estás solo.

En realidad estamos hablando de dos formas diferentes de soledad: la autoimpuesta y la situacional. La soledad que te impones a ti mismo es el acto deliberado de separarte de los demás. Los que son viudos lo hacen a menudo para protegerse. Puede suceder que te inviten a una boda o a una reunión social a la que tú y tu cónyuge hubierais ido con gusto, pero ahora no quieres asistir porque no encuentras el ánimo para hacerlo solo. Pero el hecho de no ir hace que te sientas excluido. Debo aclarar bien que esta decisión de separarte de los demás puede ser una elección saludable y conveniente. Esto puede ser una forma de hacerte cargo de tu propia vida y decidir no continuar con antiguas maneras propias de tu anterior vida de casado. Por otra parte, separarte de los demás puede ser enfermizo si lo usas como una forma de negación o de evitarlo. La vida sigue adelante; tú no has muerto. Tienes delante una nueva fase de la vida por explorar y muchas necesidades personales por satisfacer.

La soledad situacional es aquella que resulta inevitable después de la muerte. Sea cual sea la compañía o relación que tu cónyuge te proporcionaba, ya no está disponible. Ya no hay nadie cerca de ti que se cuide de «las cosas pequeñas» después de una jornada laboral. Nadie a quien contarle las palabras desagradables que hayas podido tener con un compañero de trabajo, esa rueda pinchada cuando regresabas a casa, el elogio que por fin recibiste de parte de tu jefe, o la riña que tuviste con tu hijo por la mañana. A tu pareja le gustaba escucharte hablar de esas cosas, para compartir esos momentos. Ahora no hay nadie ahí. Has perdido tu alma gemela. Esa es la razón por la que la muerte puede ser traumática aun después de una larga y debilitadora enfermedad. Tu compañero o compañera del alma ya no está presente. La persona con la que te comunicabas íntima, emocional y sexualmente ya no está a tu disposición. Tu papel ha cambiado automáticamente, así como tu estado, lo que de hecho afecta a tus relaciones sociales. Vas a necesitar tiempo para procesar esta pérdida. La soledad situacional va a aparecer de vez en cuando, eso es algo inevitable para muchas personas que viven orientadas hacia las relaciones, que buscan una intimidad especial con una persona. En esos momentos puede que pienses que hay poco que puedas hacer para aliviar la soledad. Lo más sano y conveniente es permitir conscientemente la vivencia del dolor y luego planear alguna actividad que te vincule con la gente.

Recuerda que la soledad es una respuesta completamente normal, por dos razones primarias: la falta de vinculación con un compañero íntimo y la carencia del compañerismo que viene a través de las amistades. Quizá decidas que ya no vas a relacionarte íntimamente con otra persona. Sin embargo, mientras se está en el proceso del luto, no es raro pensar que ya no volverá a ocurrir o que no lo vas a desear nunca más porque no puedes soportar el dolor que conlleva. Ten en cuenta que el tiempo del duelo no es el mejor momento para considerar estas opciones de manera realista. Ya sea que al final decidas o no casarte de nuevo, todavía tienes la opción de cultivar y desarrollar otras relaciones para satisfacer tus necesidades sociales. Cuando te sientas listo para cambiar la soledad que te impusiste a ti mismo, una manera sana de empezar es procurar otras amistades. Al final verás como eres capaz de acomodarte a la pérdida del cónyuge fijando tu atención en el cuidado de ti mismo, hablándote positivamente y cultivando otras amistades. De hecho, algunas personas viudas encuentran más tarde alguien con quien pueden desarrollar otra relación íntima.

Sugerencias prácticas

1. Analiza tus sentimientos de soledad. Trata de determinar cuánta es situacional en oposición a la que tú mismo te has impuesto. Para la porción que es situacional escribe acerca de tus sentimientos, expresándolos sinceramente tal como aparecen. Para la soledad que tú te has impuesto, evalúa cuánto de ella es autoprotección que te ayuda y cuánto puede ser ahora evasión.
2. Aprende a apreciar el tiempo a solas dedicando algún rato cada día a hacer algo que tú disfrutas haciendo solo. Aprende a ser un buen compañero para

ti mismo. Empieza incluso a hablarte a ti mismo y a aprender a reflexionar sobre tus sentimientos.

Las relaciones familiares y los amigos

¿Recuerdas el antiguo dicho que afirma que «los amigos van y vienen, pero tu familia permanece contigo para siempre»? El dicho puede ser verdadero, pero la muerte del cónyuge pone a prueba la lealtad tanto de la familia como de los amigos. La muerte de un cónyuge es como perder una pieza en un juego, todas los demás tienen que reajustarse para mantener un equilibrio. Los familiares cercanos son a menudo buenas personas con las que puedes hablar acerca de reacciones y sentimientos, y con frecuencia sobreviven a los reajustes. Una tendencia familiar es que los padres sientan la necesidad de volver a ejercer su rol paternal con el hijo adulto que ha enviudado. Al principio puede ser de ayuda, pero a la larga esta práctica puede resultar peligrosa, e incluso desastrosa. El que ha enviudado debe reajustarse a su vida independiente, no regresar a un estado más dependiente. Protégete contra eso si has enviudado y tus padres tienden a ser muy protectores.

Asistí a mi primera reunión en los Servicios para Personas Viudas a los tres meses de la muerte de Rick.[1] El tema era «amistades cambiantes». Alguien dijo que para finales del primer año, la mayoría de mis amistades habrían cambiado o se habrían enfriado. Me sentí terriblemente mal. Ya me sentía muy sola, y la idea de perder a mis amistades me parecía algo difícil de soportar. Me saqué ese pensamiento de la mente, lo deseché como incorrecto. Pero con el paso del tiempo la naturaleza de mis amistades ha cambiado. Todavía no sé por qué sucede esto. Puede haber una serie de razones que lo explique: algunos tal vez se sienten incómodos con el pensamiento de que Rick ha muerto; otros se sentirán así por relacionarse como parejas con alguien que es una mujer sola; otros quizá estaban relacionados como pareja con nosotros más por causa de Rick que por mi causa. Todavía conservo muchas de esas amistades, pero ha habido reestructuraciones importantes. Después de dos años, mis relaciones con los amigos ciertamente han cambiado.

Así que, tú también tendrás que decidir cómo hacerte cargo de este aspecto de tu vida. Primero, te animo a que evites decisiones impulsivas. Tómate el tiempo necesario para responder a cada amistad y situación. Compila la información sobre tu primer año de duelo. Entonces podrás empezar a tomar decisiones por ti mismo, porque empezarás a ver tu red de amistades bajo una nueva perspectiva, sin que el dolor y las lágrimas del luto oscurezcan tu visión.

Una realidad inevitable es que las personas que han quedado viudas deberían ampliar su horizonte social para incluir a otros individuos que también viven solos. No descuides tus amistades de casado, pero recuerda que las parejas tienden a relacionarse sobre todo con otras parejas y no pueden satisfacer muchas de las necesidades que tú tienes como persona sola. Otros que viven solos (viudos o divorciados) pueden tener más cosas en común contigo. Asiste a grupos especiales de apoyo para viudos, pero amplía con el tiempo tu horizonte a otros clubes o actividades más orientados a las actividades sociales.

Sugerencias prácticas

1. Haz una lista de tus amistades más valiosas. Evalúa la naturaleza de esas amistades e identifica qué amigos eran principalmente tuyos o de tu cónyuge, y cuáles de estos amigos son los que probablemente te gustará más conservar.
2. Cuando hayas determinado cuáles de estas amistades quieres conservar, exprésales sinceramente tu deseo de forma directa y aporta algunas sugerencias sobre cómo podéis conservar esa amistad y hacer que continúe siendo satisfactoria para ti.
3. Cuando haya llegado al momento en que empiezas a hacerte cargo de tu vida de nuevo, identifica algunos grupos en tu comunidad que pueden ofrecer la oportunidad de desarrollar nuevas amistades, especialmente con otras personas que viven solas (por ejemplo, Servicios a Personas Viudas, grupos de solteros en las iglesias, etc.).
4. Una vez que has conocido a algunas personas de tu edad que viven solas y que tú crees que puedes entablar con ellas una buena amistad, inicia la relación y empieza a salir con ellas.

La satisfacción de las necesidades sexuales

La forma de abordar el asunto de la sexualidad en tu calidad de viudo reciente dependerá en buena medida de tu trasfondo. La cuestión de la sexualidad hace ciertamente reflexionar bastante a quien vive solo. Aun dentro de los círculos cristianos, la gente tiene una amplia variedad de puntos de vista en cuanto a lo que es permisible y saludable. Como psicóloga cristiana, he tenido que enfrentar el tema con regularidad. Aunque no contamos con el espacio necesario para entrar en una conversación amplia sobre la sexualidad, permíteme expresarte los principios básicos que considero válidos:

- La sexualidad es parte de la creación de Dios. Cada uno de nosotros ha sido creado con un tipo de deseo sexual. Este apetito es tan natural y bueno como cualquier otro que podamos tener.

- El deseo sexual encuentra su más sana expresión es una relación matrimonial mutuamente satisfactoria.
- No es saludable para las personas que viven solas participar en contactos físicos íntimos con la única intención de aliviar la tensión sexual, sin el compromiso de una relación a largo plazo.

Como viudo o viuda, tus deseos sexuales dependerán de muchos factores, tales como la intensidad de la pena, tu deseo sexual innato, la naturaleza de tus experiencias sexuales anteriores con tu difunto cónyuge, y del grado en se pueda usar la sublimación (dar salida a la energía sexual con actividades no sexuales). Satisfacer tus necesidades sexuales sin tu cónyuge es, sin ninguna duda, una de las situaciones más difíciles a las que se enfrenta un viudo, y eso puede agregar frustración y tristeza a la pérdida. Tendrás que hacerte cargo de la situación y tomar decisiones sabias para no responder impulsivamente y de forma poco saludable ante situaciones de tentación sexual.

Amistades y citas heterosexuales y segundas nupcias

Todavía puedo recordar el momento cuando, estando sentados en el patio trasero de nuestra casa con vistas al lago, Rick me dijo que quería que yo me volviera a casar después que él muriera. Todavía puedo sentir lo mal que me sentí al escuchar esas palabras. Le rogué que cambiara de conversación, pero él persistió, diciendo que necesitaba hablar acerca de ello. Ciertamente era un hombre sabio.

Dos años más tarde estoy sentada en ese mismo patio escribiendo este capítulo. La idea ya no me molesta en absoluto, y tengo el beneficio agregado de saber que Rick quería que mi vida empezara de nuevo e incluso que me casara otra vez. Él sabía cuánto amaba yo nuestra íntima y dedicada relación. También sabía que yo era el tipo de persona que hubiera deseado ese nivel de profunda comunión con otra persona.

Probablemente has oído decir que, si verdaderamente amabas a tu difunto cónyuge, devalúas de alguna manera ese matrimonio o eres desleal al casarte de nuevo. ¿Sabes una cosa? Lo verdaderamente cierto es justamente lo contrario. Las investigaciones prueban que la persona viuda que había tenido un matrimonio feliz y satisfactorio la primera vez lo más probable es que desee disfrutar de otra relación o matrimonio feliz.[3] Eso sí que tiene sentido. Si de verdad nos gustó hacer algo una vez, ¿no vamos a querer hacerlo de nuevo? Hacerlo una segunda vez de ninguna manera le resta valor a la primera. No estás tratando de duplicar o remplazar el primer matrimonio. Más bien estás aprovechado la oportunidad de desarrollar una relación profunda y amorosa.

Sin embargo, a fin de crear espacio para la nueva relación, debes ser capaz de conseguir que tu primer matrimonio deje de ser una relación presente y se convierta en un amoroso recuerdo. Es también necesario que te veas a ti mismo como alguien que está solo y tener buen fundamento como individuo antes de iniciar nuevas relaciones. Lograr esa conversión no sólo requiere tiempo, hay que tener la intención de conseguirlo.

Las estadísticas actuales indican que hay un hombre adulto solo por cada cuatro mujeres en esa situación.[3] Ese dato puede representar una situación especialmente desalentadora para las mujeres. Aun en el caso de que una mujer al fin se anime a casarse de nuevo, sus posibilidades de lograrlo no son muy favorables. Este no es el caso del hombre porque él todavía tiene cuatro veces más mujeres para elegir. No obstante, bien puede suceder que no encuentre la mujer que satisface la visión que él tiene para otra compañera.

¿Qué hace un adulto para encontrarse con un potencial compañero o compañera? Quizá pienses que lo que hay que hacer es volver a comportarse como los adolescentes en la escuela secundaria. Como adulto, el consejo más elemental es no buscar un compañero o compañera, sino empezar a cultivar amistades por aprecio a las relaciones en sí. Si eso funciona y además te sientes cómodo con una amiga o amigo del sexo opuesto, entonces podéis empezar a hablar de si os gustaría salir juntos en un plan más formal. No creas que las parejas hablan demasiado acerca de los asuntos de relaciones: los puntos a favor y en contra de las citas, si es mejor permanecer como amigos, qué es lo que cada uno espera de las citas y los objetivos a largo plazo de la relación. No esperéis a estar profundamente encariñados el uno con el otro para descubrir que uno estaba pensando en la meta del matrimonio y el otro sólo en una amistad a largo plazo. Si te resulta difícil o incómodo hablar de estas cosas, es mucho mejor que empieces a trabajar sobre esos sentimientos en vez de tratar de bloquear la comunicación. Recuerda que no estás obligado a volver a casarte. Muchas personas viudas desarrollan con individuos de ambos sexos un cierto número de amistades que valoran mucho, sin pensar para nada en casarse. Las segundas nupcias son sólo saludables y significativas si enriquecen la vida de la persona en una forma positiva.

Sugerencias prácticas

1. Reflexiona sobre la naturaleza de la amistad que tienes con personas del sexo opuesto que están solas, incluyendo la manera en que enriquecen tu vida. Examina cuál de ellas, si es que hay alguna, te sugiere la posibilidad de pensar en citas más formales.

2. Evalúa tus propios deseos de volverte a casar. Haz una lista de los puntos a favor y en contra para ti.

3. Haz una lista de las características o criterios que tendrías seriamente en cuenta a la hora de plantearte citas formales y posibles segundas nupcias. Haz después una lista de las características que quieres evitar a toda costa.

4. Evalúa de forma realista lo que has aprendido acerca de ti mismo y de la relación de pareja en tu matrimonio anterior. ¿Qué es lo que te gustó? ¿Qué es lo que te gustaría tener o hacer diferente en la nueva relación?

Enfrentar tu propia muerte

La muerte de un cónyuge puede enfrentar a cualquiera directamente con la posibilidad de su propia muerte. Como dijo John Donne: «No preguntes por quién tocan las campanas; tocan por ti».[4] Si estuviste presente en los últimos días de tu cónyuge, puedes haberte imaginado cómo te podrías sentir si fueras tú quien estuviera muriendo. Quizás habrías dedicado más tiempo y esfuerzo a pensar en tus propios deseos si hubieras contraído una enfermedad terminal. En el proceso de conversar sobre lo relacionado con el servicio funeral y arreglos en el cementerio, Rick y yo dialogamos acerca de nuestras creencias y deseos. Si a él no le hubieran diagnosticado un tumor en el cerebro y no hubiéramos tenido tiempo para hablar sobre estos asuntos, dudo que hubiéramos mencionado alguna vez el tema de la muerte hasta que no estuviéramos bien entrados en los años de la jubilación. Estoy agradecida porque me vi forzada a tratar con algunas de estas difíciles decisiones. Me encuentro mucho menos temerosa acerca de mi propia muerte porque ya he pasado por ese camino con alguien a quien amaba entrañablemente. Aunque, por supuesto, no he experimentado esa fase final en mi propia vida, soy mucho más consciente de lo que involucra, algunas de las cosas desconocidas son ahora conocidas. Además, me siento confortada con mi creencia de que la muerte es sólo la puerta por la que pasamos a la vida eterna con Dios.

Los psicólogos animan a la gente a que enfrente sus propios temores y ansiedades con el fin de disminuir o negar el poder de esos temores. Apoyo este proceso de confrontación, especialmente en lo referente a enfrentar tus propios potenciales temores ante la muerte. La muerte es incertidumbre para todos nosotros. Tú tienes la oportunidad de enfrentarla directamente ahora, y así enriquecer el resto de tu vida. Citando el himno nacional suizo, Isak Dinesen escribió en *Lejos de África*: «El que está preparado para morir es libre».

Si la muerte de tu cónyuge fue repentina, también tuviste que lidiar con la realidad de la muerte como hecho vital. Frente a una muerte no anticipada, te viste forzado a enfrentarlo de una manera más traumática. No tuviste la oportunidad de una conversación serena acerca de la muerte con tu cónyuge enfermo. Pero sean cuales sean tus circunstancias, estás en posición de desarrollar una perspectiva saludable acerca de la naturaleza frágil de nuestra vida y de nuestro propósito último aquí en la tierra.

Sugerencias prácticas

1. Considera tus pensamientos y sentimientos acerca de cómo vas a lidiar con tu propia muerte. ¿Qué arreglos vas a querer? Escribe tus deseos y explícaselos a una persona de tu confianza. Piensa en hacer los arreglos apropiados a través de una funeraria.
2. Identifica el significado de la vida y de la muerte desde tu propia perspectiva espiritual a fin de contar con un marco para tratar con la realidad de la muerte cuando te llegue el turno.
3. Vive tu vida de la forma más completa en todo momento, cada día, para que cuando tus días terminen te puedas gozar en cómo has vivido sin tener que lamentarlo.
4. Pon tus asuntos en orden escribiendo un testamento y otros documentos necesarios con el fin de se honren tus deseos.

El pastor dice

Yo soy el único que ha quedado con vida.

1 Reyes 19:10

Dios ha dicho: «Nunca te dejaré; jamás te abandonaré».

Hebreos 13:5

Te sientes solo, pero no estás solo

Puede que tu experiencia sea parecida a la mía. Después del funeral, después del cementerio, después del tiempo juntos, cada cual se va a su casa. Los amigos se van con sus familias. Tus hermanos, hermanas, primos y otros familiares vuelven a sus propias rutinas y quehaceres. Quizás alguien se queda contigo durante un día o dos, pero al final se van. Incluso si tienes hijos en casa, llega el momento cuando ellos se retiran a sus cuartos y tú tienes que meterte en la cama... solo. Las sábanas están frías; la habitación está vacía. Escuchas ruidos que nunca antes habías oído. Las sombras danzan en una luz extraña. Te sientes de nuevo como un niño pequeño: solo y asustado. Lo que otrora fue un escenario de intimidad física y emocional con tu cónyuge es ahora un lugar de soledad. No hay nadie allí para abrazarte y sostenerte. La cama está fría.

La soledad es quizá la experiencia más grande y universal de los viudos. Los sentimientos de abandono, la sensación de haber perdido una extensión de tu propio cuerpo, pueden ser abrumadores. Algunos de los salmos expresan estos sentimientos.

Dios mío, clamo de día y no me respondes.

Salmo 22:2

Escucha, Señor, mi oración;
llegue a ti mi clamor.
No escondas de mí tu rostro
cuando me encuentro angustiado.
Inclina a mí tu oído;
respóndeme pronto cuando te llame.

Salmo 102:1-2

Parece como si Dios se encontrara muy lejos de nosotros en momentos como estos. Nos preguntamos seriamente si él de verdad se preocupa, si ve o si hará algo por nosotros.

Veamos una situación humana en el Antiguo Testamento. Elías fue uno de los más grandes profetas en la historia de Israel. Imagínate que eres un espectador en el monte Carmelo (puedes encontrar todo lo que sucedió en 1 Reyes 18 y 19). El malvado rey Acab y su aún más impía esposa, Jezabel, tenían a Israel en sus garras. Acab y Elías habían subido juntos a la cumbre del Carmelo para el enfrentamiento del siglo. La batalla era entre los dioses de Acab y el Dios de Elías. El que fuera capaz de encender el fuego en el altar sería el ganador. La divinidad vencedora acabaría con la sequía que castigaba la tierra en aquellos días y contaría con la lealtad del pueblo. Los sacerdotes de Acab oraron, luego gritaron y danzaron, y finalmente se sajaron con cuchillos tratando de llamar la atención de sus dioses. Elías se burlaba de ellos y los escarnecía. Estaba disfrutando a lo grande, como una especie de Mohammed Alí en el Antiguo Testamento. Les decía: «¡Griten más fuerte! ¡A lo mejor se ha quedado dormido y hay que despertarlo!»

Luego le llegó el turno a Elías. Antes de empezar, inundó completamente de agua el altar, y lo hizo tres veces. Después elevó a Dios una oración sencilla. De repente descendió fuego del cielo. El altar, la leña, las piedras, el agua y todo lo que rodeaba quedó consumido por el fuego. Elías ganó. La lluvia descendió, el pueblo aplaudió y todos los profetas de Baal perecieron. La vida no podía ir mejor.

Antes de la muerte de tu cónyuge, puede que tú te sintieras de esa manera. Char y yo sí nos sentíamos así. Todo iba bien. Cada uno tenía su carrera. Teníamos tres hijos maravillosos. Todo estaba en buen orden, cada pieza en su sitio y bien engrasada.

Pero algo extraño le sucedió a Elías. Después de su gran victoria, bruscamente algo sucedió. Lo encontramos huyendo, profundamente deprimido, sentado a la sombra de un arbusto y deseando morirse. ¿Qué razón dio para este cambio de actitud? «Yo soy el único que ha quedado con vida», exclamó (1 R. 19:10, 14). Por alguna razón, un sentido abrumador de soledad sumió a Elías en una profunda depresión. Aun la mejor de las victorias, los logros más grandes, no fueron suficientes para librarle de esta agonía.

La respuesta que recibió fue muy sencilla: «Puede que te sientas solo, pero no lo estás». Repítete esas palabras a ti mismo. Escríbelas para recordártelas a menudo: «Puede que me sienta solo, pero no lo estoy». Elías necesitaba un encuentro con Dios. El Señor le envió un viento recio, un terremoto y fuego. Dios hizo que sucedieran estas cosas, pero Elías no encontró a Dios en ellas. Dios no estaba allí en la misma manera que había estado pocos días antes en el monte Carmelo. Entonces Dios se le apareció en un «suave murmullo» (1 R. 19:12).

Tienes que estar en quietud para escuchar el murmullo de Dios. Estar solo ayuda. Ahora no hay tiempo para las distracciones, no hay nada que compita por tu atención. En tu pena, céntrate calladamente en ti mismo y en Dios. Porque Dios le estaba diciendo a Elías clara pero suavemente: «No estás solo. No pienses que estás tú solo metido en esto. Tengo más de siete mil amigos fieles en Israel» (1 R. 19:18).

Puede que te sientas solo, pero no lo estás. Otros miles han pasado por experiencias similares. Muchísimos otros se han enfrentado a la situación de vivir solos después de haber estado casados.

«Uno» es un número entero

Volvamos por un momento al tema que empecé a desarrollar en el capítulo anterior: el asunto de la autoestima. A menudo, las parejas casadas empiezan a combinar sus vidas tan completamente que sus identidades quedan entretejidas. Cuando uno de ellos muere, el otro se ve inmediatamente lanzado a un período de redefinición. Los hombres pueden redefinirse a sí mismos a través de su trabajo. Las mujeres pueden tratar de hacerlo a través de las amistades, la familia y los hijos. Implícitamente, nos decimos a nosotros mismos que somos lo que hacemos o somos lo que otras personas piensan que somos. Ahora tienes que funcionar solo. Tienes que descubrir de nuevo lo que significa ser un hijo, individual, de Dios.

Ser un adulto que vive solo es probablemente una posibilidad que asusta. Vivimos en una sociedad muy conectada. Todos dan por supuesto que estás casado o que no eres del todo completo si no lo estás. Sin embargo, el apóstol Pablo nos comunica claramente su posición. No tienes que estar casado para ser una persona completa a los ojos de Dios. En 1 Corintios 7 Pablo trata con bastante amplitud el asunto del matrimonio. Por lo general este pasaje no se cita en ceremonias de boda porque es de por sí bastante complicado, y porque el apóstol ve muchas ventajas en quedarse soltero. Pablo comienza el capítulo diciendo: «Es mejor no tener relaciones sexuales» (1 Co. 7:1). Luego se dedica a considerar las ventajas y desventajas del matrimonio, concluyendo que la persona soltera puede concentrarse en «las cosas del Señor» mucho mejor que la casada (1 Co. 7:32-33). Estés o no de acuerdo con Pablo, la enseñanza es que la Biblia no dice que tengas que casarte para ser una persona entera y completa.

Hace algunos años, mientras pastoreaba una congregación cerca de una universidad, una mujer joven me preguntó acerca de cómo veía la iglesia lo de permanecer soltero. Ella aparentemente se sentía presionada a encontrar el hombre correcto. Le escribí una larga carta sobre este asunto. Entre otras cosas le decía:

> Como bien ves, nuestra personalidad queda determinada y condicionada en alto grado por el hecho de haber nacido hombre o mujer. No puedes divorciarte de tu identidad sexual. Esta naturaleza sexual no está meramente limitada a la posible relación de marido y mujer. Todo lo que haces está coloreado por la conciencia de quién eres tú sexualmente. Lo que Pablo está diciendo en 1 Corintios 7 es que, sin importar lo que hagas en cuanto al matrimonio, puedes glorificar a Dios en tu sexualidad, en tu masculinidad o feminidad. En relación con el matrimonio, la directriz básica de Pablo es que cada uno debiera vivir conforme a la vida que Dios le ha dado. El matrimonio es una opción, no un requisito. Puedes ser una persona completa en ambos sentidos. El matrimonio no te hace ser completa, así como la soltería no te hace incompleta. Confía en la dirección del Señor. Él no te va a fallar.

Después de vivir casado durante veintiocho años, tuve que volver a luchar con mi situación de persona sola por un largo tiempo. Tuve que encontrar la libertad de amarme a mí mismo. Por supuesto, podía amar a otra persona. Yo ya había demostrado eso. El asunto ahora es: ¿Puedo amarme a mí mismo? ¿Puedo ser bondadoso conmigo mismo? ¿Puedo disfrutar de mí mismo, no de una forma abstracta, sino como hombre solo? Puede que estas sean preguntas importantes para hacértelas a ti mismo.

No estás solo. Vuelve a leer la porción del Sermón del Monte que encontramos en Mateo 6:25-34. La enseñanza de este pasaje es que nuestro buen Padre celestial sabe lo que necesitas. Sin embargo, a fin de recibir consolación por medio de este pasaje, necesitas hacer otra cosa. Para ser verdaderamente consolado por Dios, debes cerrar la brecha entre la tierra y el cielo. La muerte de tu cónyuge puede ser un paso en esa dirección si tienes la confianza de que la fe de tu pareja le reserva a él o ella un lugar en aquel hogar de muchas mansiones (Juan 14:1-4). ¿Y tú qué? ¿Estás preparado tú también para enfrentar tu propia muerte?

Crecí en la tradición de una iglesia que usa el Catecismo de Heidelberg como instrumento de enseñanza. La primera pregunta y respuesta de ese catecismo es bellísima en su sencillez. La pregunta es: «¿Cuál es tu único consuelo en la vida y en la muerte?» Y la respuesta es muy directa: «Que pertenezco en cuerpo y alma a mi fiel Salvador Cristo Jesús». Fundamentalmente no pertenezco a una mujer, o a un marido, o a los hijos, a mi carrera, o a este mundo. Pertenezco a mi fiel Salvador Jesucristo. ¿Le perteneces tú a él? ¿Te has enfrentado a la realidad de tu propia muerte ahora que pasas por el dolor del fallecimiento de tu pareja?

En este sentido, Pablo nos recuerda que nosotros no nos entristecemos como los que no tienen esperanza (1 Ts. 4:13). No quiere decir que no nos apenemos. No quiere indicar que nuestro dolor sea menor o que nuestra tarea sea simple. Más bien nos está recordando que tenemos una esperanza, la esperanza en la resurrección, cuando todos estaremos celebrando delante del trono. Llegará el tiempo cuando Cristo Jesús (el esposo) vendrá a recogernos a nosotros su iglesia (la esposa). Y una voz potente declarará:

> «¡Aquí, entre los seres humanos, está la morada de Dios! Él acampará en medio de ellos, y ellos serán su pueblo; Dios mismo estará con ellos y será su Dios. Él les enjugará toda lágrima de los ojos. Ya no habrá muerte, ni llanto, ni lamento ni dolor, porque las primeras cosas han dejado de existir».
>
> Apocalipsis 21:3-4

El nuevo mundo viene. Ahora es el momento de encontrar tu lugar en él.

6

¿Cómo afecta el sexo a tu duelo?
Sé tú mismo en el camino

Es bueno tener una meta a la que encaminarse,
pero a fin de cuentas el camino es lo que importa.

Ursula K. LeGuin

La sociedad tiene un profundo efecto en la formación de nuestras actitudes y comportamientos acerca del sexo. El movimiento feminista sólo ha servido para destacar las diferencias y semejanzas de los sexos.

La mayor parte de nuestros comportamientos como hombres y mujeres los aprendemos de nuestros padres y de otras personas importantes cuando estamos creciendo. Nos enseñan a «ser un hombre» o a «comportarse como corresponde a una dama». Al varón se le elogia generalmente por ser pensador, por tener el control y por ser competitivo y exitoso. A la mujer, por su parte, se la condiciona a orientarse hacia las relaciones, los sentimientos, la sensibilidad y el cuidado de la familia. Los chicos juegan con soldados, camiones y armas. Las chicas juegan con muñecas, lápiz de labios y vestidos antiguos.

En los últimos años estos papeles tradicionales de los sexos han empezado a cambiar. Hemos comenzado a reconocer que los hombres y las mujeres comparten muchas características comunes y que cada grupo mejora a medida que desarrolla los rasgos generalmente atribuidos al sexo opuesto. Los hombres pueden ser bondadosos. Las mujeres pueden ser competitivas y exitosas. Esas características en ningún caso violan la identidad de su género.

La mayoría de nosotros, sin embargo, todavía funcionamos con expectativas y roles sexuales más tradicionales. La forma cómo nos vemos a nosotros mismos en tanto que mujer o varón tiene un efecto profundo sobre cómo manejamos el proceso del luto. ¿Cómo puedes ser tú mismo en este camino del duelo?

Queremos lograr dos cosas en este capítulo. Primera, describiremos lo que parece ser la sabiduría tradicional acerca de la importancia del género en el proceso del luto. Entonces cada uno de nosotros vamos a relatar nuestra propia historia sobre cómo manejamos el proceso del duelo, particularmente como hombre y como mujer. Te invitamos a reflexionar en tu propia experiencia mientras contamos la nuestra sobre:

- cómo experimentamos la pérdida.
- cómo expresamos la pérdida.
- cómo se relacionó la pérdida con nuestro trabajo o carrera.
- cómo reaccionaron otros a la pérdida.
- cómo veíamos los asuntos del sexo y de las segundas nupcias al avanzar en el proceso del luto.

Cómo experimentamos la pérdida del cónyuge

Tanto las mujeres como los hombres experimentan gran dolor y tristeza y expresan un profundo anhelo por su difunto cónyuge. Ambos sexos experimentan básicamente los mismos sentimientos, emociones y retos. Sin embargo, se dan diferencias de sexo (género) en el proceso del duelo.

Muchos hombres, por ejemplo, describen su experiencia inicial después de la muerte de la esposa como perder una parte de ellos mismos, como si hubieran sido desmembrados. «Es como perder un brazo o una pierna -no exactamente eso, sino mucho más-, como perder una parte de ti mismo», es una respuesta común de los hombres.

Las mujeres, por su parte, hablan generalmente de abandono, de haber sido dejadas solas. «Me siento sola, muy solitaria. Todo ahora depende de mí, y no lo puedo soportar», es una respuesta común en ellas. La mujer contaba con su esposo para proveerla de protección y de un sentido de bienestar. Ahora eso ha desaparecido.

Estas reacciones están probablemente causadas por la manera en que la sociedad ha definido los papeles tradicionales de hombre y mujer. Lo típico es que el hombre construya un sistema integrado para su vida, que consiste de trabajo, matrimonio, familia y diversiones. Cuando la esposa muere, se pierde una parte de ese sistema. Ella era una parte necesaria de su sistema total que le permitía funcionar, porque su matrimonio y su trabajo estaban en la misma esfera. Por lo tanto, él siente que ha perdido una parte de sí mismo. Se ha quedado desmembrado; parte de su sistema ha sido mutilado. Esa es probablemente una de las principales razones por las que el hombre tiende a casarse mucho más rápidamente que la mujer: quiere llenar el hueco que siente hay en su sistema total.

La mujer, a su vez, tiende a desarrollar el matrimonio y la carrera relativamente desconectados o como esferas individuales. Las esposas alternan entre el matrimonio y el trabajo y los mantienen más separados que los hombres. La mujer que ha seguido el modelo tradicional de ser la ayudante de su esposo, encuentra su identidad más en las relaciones de la familia y el matrimonio que en la carrera o en otras relaciones sociales. Experimenta la muerte de su esposo como algo más que una pérdida, se siente realmente abandonada. Ha desaparecido el eje de esa esfera fundamental que es el matrimonio y la familia. Se ha quedado sola.

Queremos recalcar que estos son los papeles tradicionales de los sexos; representan la sabiduría tradicional. Tal vez seas una excepción o hayas experimentado variaciones importantes en estas cuestiones. Nosotros tampoco fuimos tan tradicionales.

La experiencia de Susan

Seis años de matrimonio, ¡resulta difícil describir la profundidad de nuestra felicidad! Nació nuestra hija; ambos estábamos bien establecidos en nuestra carrera; teníamos una nueva casa; nuestra vida estaba llena de paz y contentamiento. Rick y yo lo disfrutábamos.

Entonces, de repente Rick sufre un gran ataque, sin previo aviso. Una semana después le diagnostican un tumor cerebral. Nuestra hija Sara tenía entonces dieciocho meses. La canción popular «Casi lo teníamos todo» captaba bien nuestros sentimientos. Casi todo nos iba bien, a no ser por un fatídico diagnóstico, a no ser por una enfermedad que afectaría nuestras vidas durante los siguientes diecisiete años.

Luchamos con la pregunta: ¿Por qué, Señor, por qué nosotros, cuando teníamos tantas posibilidades de hacer tanto bien por otros? Resolvimos permanecer firmes en nuestra fe y dejar que Dios nos usara en cualquier camino que tomara nuestra vida. A medida que iban viniendo los siguientes diecisiete años, experimentamos toda clase de altos y bajos, de momentos buenos y malos. Pero la gracia de Dios fue evidente a través de todos ellos. Vivimos la vida en su plenitud, aun después de que a Rick le extirparan el lóbulo frontal en la Clínica Mayo siete años antes de su muerte. Él tenía una fe fenomenal. Eso le ayudó de forma inigualable a través de su infierno en la tierra. Rick falleció el 18 de octubre de 1994, a la edad de cuarenta y siete años. Ahora está en paz, y yo también tengo paz por él. No le deseo que vuelva aquí, ya sufrió bastante.

Rick pasó los últimos siete años de su vida inválido. Tuvo que dejar su profesión, y durante los últimos dos o tres meses no podía caminar. Necesitó mucha atención física. La familia, los amigos y profesionales dieron una ayuda sumamente valiosa.

Cuando Rick murió, yo estaba agotada. Mientras estuvo vivo, estaba determinada a hacer y a ser todo lo mejor que pudiera, de forma que me forcé a mí misma a ser una buena esposa y ama de casa y continuar al mismo tiempo mi práctica diaria de psicología clínica. Estuve durmiendo un promedio de dos a cuatro horas cada noche durante varias semanas antes de su muerte, pero Dios me dio las fuerzas para manejarlo todo, incluso durante los días de las condolencias y del funeral. Lo hice por Rick, lo hice por Sara, y también por mí misma.

Rick y yo hablamos horas y horas durante el verano previo a su fallecimiento. Hablamos sobre cómo se sentía acerca de la vida. Hablamos acerca de su legítimo orgullo y esperanza por nuestra hija Sara. Hablamos acerca de cómo quería morir y cómo deseaba que fuera el funeral. Yo quería honrar sus deseos y ocuparme yo misma en la manera más respetuosa, así que me hice cargo de todo. Eso ayudó a cubrir mis emociones, de modo que nunca desfallecía en momentos que consideraba inapropiados, pero sí me desmoronaba cuando nadie me veía. Yo no quería vivir por mi cuenta, quería recuperar al compañero de mi vida. No era mi plan ser viuda a esta edad tan joven. Quería envejecer con Rick.

Al comienzo del quinto mes después de su muerte, me encontraba tan decaída que quise quitarme la vida. Yo sabía que no podría hacerlo. Mi fe cristiana era sólida, pero eso no evitó los sentimientos de desesperanza que duraron meses. Me sentía terriblemente mal. Nunca antes me había sentido tan sola y abandonada. Rick era mi alma gemela, la persona con la que lo había compartido todo. Ahora no estaba presente, sólo quedaba un gran vacío.

Nuestra hija había empezado su primer año de estudios en la Universidad de Pennsylvania, de forma que no sólo me estaba adaptando a la muerte de Rick sino que también estaba lidiando con el síndrome del nido vacío. Mi hija se estaba haciendo adulta y tampoco me necesitaba. Ella era bastante responsable e independiente, y estaba desarrollando su propia vida. Eso era saludable, pero yo me sentía vacía. Me sentía emocionalmente agotada la mayor parte del tiempo. Irme cada noche sola a la cama me resultaba tan duro que oré a Dios pidiendo que me dejara morir e ir con Rick. Quería dejar esta vida. Me llevó bastante tiempo darme cuenta de que en realidad yo no había muerto; mi vida no había terminado. Mi vida todavía tenía significado y propósito, pero tenía que encontrarlo. Mi vida podía volver a ser satisfactoria.

Mientras tanto, no sabía cómo superar el dolor, a veces la ausencia hacía mucho daño. Siempre había dicho a mis pacientes que una señal esencial de que se estaba resolviendo o completando el luto era cuando ya no quedaban más emociones para dejar salir. Mis sentimientos parecían un pozo sin fondo.

Mis emociones estaban estrechamente relacionadas con algunas de las llamadas «primeras veces», especialmente durante los primeros seis meses. Estas primeras veces empezaron al día siguiente de la muerte de Rick. Era su cumpleaños. Poco después vinieron el día de Acción de Gracias y Navidad; luego se presentó el día de Resurrección. Cada fecha significativa para ti, como las fiestas, los cumpleaños, las celebraciones de aniversarios, es diferente ahora que tu pareja ha fallecido. La primera vez que experimentas esos momentos sin la presencia de tu cónyuge puede ser muy difícil. Encontré que la espera de esas fechas que se acercaban era aun peor que el día mismo.

Los recuerdos eran otra notoria demostración de lo vacía que me sentía. Me salí varias veces del templo porque un himno, el mensaje, o alguna otra cosa despertaban en mí recuerdos dolorosos. En la fecha que habría sido la celebración de nuestras bodas de plata, fui a un lugar especial que nos gustaba a los dos, y releí las cartas de amor que Rick me había enviado desde Corea durante nuestro noviazgo. Lloré y anhelé que ese tiempo pudiera volver. Al hacerlo, sané un poco más.

Cuando ya estaba metida unos cinco o seis meses en el proceso del luto, se me encendió una luz mientras caminaba por mi parque favorito. Se me abrió la mente y me di cuenta de que nadie iba a tener cuidado de Susan; tenía que cuidar de mí misma. Darme cuenta de eso me ayudó muchísimo. Antes de ese momento, había tenido tanto dolor y contaba con tan poca energía que probablemente no hubiera podido tomar el control de mi proceso de duelo. Pero había llegado el momento.

Decidí que necesitaba encontrar otras personas que tuvieran profesiones similares a la mía y que también estuvieran pasando por estas experiencias. Quizá podríamos comunicarnos nuestras historias y experiencias. Así empezó mi búsqueda, la que terminó con momentos de café con mi coautor, Robert, y con otras personas viudas del grupo local de los Servicios para Personas Viudas. Aquellas conversaciones me ayudaron mucho. Encontré que otros se podían relacionar con mis experiencias y sentimientos ya que también estaban tratando de sobrevivir lidiando con el profundo dolor de haber perdido a su pareja. Darme cuenta de esto me ayudó a superar mi soledad. Me puse a buscar a Susan, a Susan sin Rick. ¿Quién soy yo? ¿Puede mi vida, como persona sola, seguir adelante y ser buena de nuevo? Empecé a creer que era posible.

Estaba determinada a hacer algunas cosas. A fin de encontrarme a mí misma, tenía que ponerme a hacer de nuevo todas mis cosas favoritas: visitar mis lugares favoritos de vacaciones, ir a mis restaurantes favoritos y visitar a los familiares y amigos. Y debía hacerlo yo sola, sin Rick. Es cierto, Rick y yo habíamos hecho estas cosas juntos y las habíamos disfrutado mucho, pero eran también una parte verdadera de lo que me agrada hacer por mí misma. Hacer estas cosas no resultó siempre fácil, pero me ayudó a procesar mi dolor, aceptar el hecho de que Rick ya no estaba conmigo, y a entender quién era yo como individuo en relación con estos lugares y personas especiales.

El luto y la sanidad representan una ardua tarea, pero estoy muy satisfecha de haber hecho el esfuerzo consciente de ponerme en marcha. Para cuando escribía este capítulo ya habían pasado dos años y medio desde la muerte de Rick, y podía decir verdaderamente que ya estaba experimentando la otra cara del dolor. Era una persona recuperada con recuerdos cálidos y maravillosos de veinticuatro años de vida con alguien a quien había amado mucho, con quien engendré una hija y con quien compartí la vida plenamente. El dolor ya había desaparecido, pero los recuerdos están vivos. He cerrado un volumen de mi vida. Después de haber explorado la fase de la viudedad y de ajustarme a ser una persona sola, me he vuelto a casar. Me siento feliz y realizada, y te deseo lo mismo a ti en cualquier dirección que tomes.

La experiencia de Robert

Char murió de cáncer de ovarios. Se lo diagnosticaron en la primavera de 1990, tres días antes del día de Resurrección. Murió tres años y medio más tarde, tras un tratamiento casi continuo de quimioterapia, radiación y cinco operaciones quirúrgicas. Su muerte no fue una sorpresa. Sabíamos desde el principio que sus posibilidades de superar esa difícil situación eran sólo del 30 por ciento.

Cuando Char murió serenamente en la mañana de aquel domingo de octubre, sentí como si me hubieran arrancado una parte integral de mi ser. Mi primera reacción fue la de la persona seriamente herida, como un soldado mutilado en la guerra. Estaba allí echado preguntándome si me desangraría emocionalmente hasta la muerte, ya que me habían arrancado la persona a quien amaba. ¿Cómo podía parar la hemorragia? ¿Cómo podía sanar la herida?

Al poco tiempo empecé a sentir la soledad; empecé a sentir el dolor. Pero quería superarlo con rapidez. No me gustaba andar con la pena a cuestas, pero Char y yo habíamos estado casados veintiocho años. Habíamos entretejido nuestras vidas como en un bello e intrincado tapiz. No se puede arrancar la mitad de ese tapiz sin dañar todo el diseño.

No creo que fuera una decisión consciente de mi parte, pero sospecho que adopté hacia el dolor la misma actitud que hubiera adoptado por una pierna rota: «dale tiempo, se curará». Al igual que una herida, el cuerpo (y el espíritu) sólo necesita tiempo. La pena se arreglará por sí misma, de la misma manera que una pierna rota acaba curándose.

Ahora sé que este no era el mejor planteamiento. Una pierna rota necesita sin duda los cuidados de un médico. El paciente debe involucrarse en ciertas actividades que ayudan en la curación y evitar ciertos comportamientos para asegurarse de que no se lesione todavía más. Pero en lo profundo de mi ser creía que de alguna manera terminaría sanándose. No sabía cuánto tardaría, pero se iba a curar.

La segunda reacción abrumadora que tuve fue la sensación de que mi futuro (el plan de mi vida) había quedado deshecho. Char y yo habíamos soñado y planeado para una nueva vida. Nos encontrábamos cerca de ese momento en que nuestros hijos iban a dejar el hogar. Podríamos viajar, cumplir con nuestro deseo de trabajar en las misiones o sencillamente pasar más tiempo juntos y disfrutar más de nuestra relación. Pero ahora mi futuro había desaparecido. Las esperanzas habían muerto con mi esposa.

Ahora puedo ver que estaba teniendo el comportamiento típicamente masculino. Mi vida era muy organizada. Mi trabajo, esposa, familia y tiempo de ocio estaban todos equilibrados. Ninguna parte estaba fuera de su lugar, ni podía influir seriamente los otros componentes de mi vida. Pensé que todo lo que necesitaba era tiempo para reedificar, para empezar de nuevo. Sin embargo, esa era una tarea tremenda. No siempre estaba seguro de estar listo para emprenderla. Pasaron casi dieciocho meses antes de que empezara a tomar las riendas de mi proceso del luto y comenzara a trabajar hacia una resolución completa.

Cómo expresamos la pérdida del cónyuge

Tanto los hombres como las mujeres desarrollan lazos fuertes con su pareja. El amor verdadero existe, y se expresa recíprocamente entre marido y mujer. No obstante, cuando un cónyuge muere, la forma tradicional de expresar el luto es diferente en hombres y mujeres.

Tomemos como ejemplo las emociones. Los hombres por lo general las ocultan más que las mujeres. Tienden a interiorizar sus sentimientos y, si llegan a expresarlos, lo hacen en privado. Las mujeres, por su parte, tienden a expresar más abiertamente sus sentimientos. Se han realizado estudios sobre el duelo teniendo en cuenta las diferencias de sexo y los resultados indican que cerca de la mitad de los hombres expresan su dolor llorando, mientras que entre las mujeres es cerca de las tres cuartas partes.[1] Los varones que no habían llorado, admitieron que a veces sentían que se asfixiaban, lo que da a entender que trataban de ahogar sus emociones. Los hombres a menudo ven el control de sus emociones como una virtud, una indicación de fortaleza, y están condicionados a pensar que las lágrimas no son muy masculinas.

Sin embargo, expresar las emociones es una práctica sumamente saludable. Las lágrimas son una forma única de aliviar la tensión. El antiguo consejo de «llora que te sentirás mejor» es muy válido en la mayoría de los casos. Aguantarse las ganas de llorar o reprimir las emociones del duelo puede llevar a los problemas psicológicos más serios de la depresión clínica. Al cabo de un año de haber enviudado, cerca de la mitad de los hombres y de las mujeres informan que no están tan decaídos o deprimidos como lo estuvieron previamente.[2] Una forma eficaz de lidiar con la pena es tratar con las emociones en el momento en que se producen.

Es bastante común que cierto sentido de culpa acompañe al proceso del luto. Este sentimiento es a menudo provocado por una variedad de causas, como la existencia de asuntos pendientes con la pareja (el tema de «si sólo»), conflictos no resueltos, o un sentido de que el cónyuge sobreviviente no hizo lo suficiente («Debí haber hecho esto o aquello...»). Pero hay diferencia entre los hombres y las mujeres, ya que ellos o bien no experimentan este sentimiento tan intensamente o no les dura tanto tiempo. El varón por lo general no se muestra tan enojado u hostil por la muerte del cónyuge. Tampoco tiene la misma tendencia que la mujer a pensar que la muerte de su pareja fue injusta. Los hombres están condicionados a ser prácticos y lógicos, y se espera de ellos que sigan adelante rápidamente y no se entretengan con sus sentimientos. Parece también que ellos tratan con su sentido de culpa más rápidamente. Las mujeres a menudo experimentan un incremento en su sentido de culpa con el tiempo. Para fines del segundo mes de luto, la mayoría de los hombres afirman haber aceptado la realidad de su pérdida (lo que es una parte apropiada de la tarea del proceso del duelo), mientras que la mayoría de las mujeres siguen actuando como si su cónyuge estuviera todavía vivo.

Los cónyuges en luto pueden también expresar su dolor a través de una variedad de rituales, ceremonias y memoriales. Los hombres tienden, sin embargo, a moverse más rápidamente a través de esas actividades, intentando pasarlas cuanto antes, mientras que las mujeres contemplan estos sucesos como hitos importantes que hay que experimentar plenamente. Los servicios fúnebres, por ejemplo, suelen ser acontecimientos con los que el hombre quiere terminar pronto. Después del funeral es muy poco probable que ellos tomen la iniciativa de escuchar una grabación del servicio. Las mujeres, por el otro lado, suelen ver estos sucesos más como una ceremonia a la que podrían regresar con cierta regularidad para pensar y revivirlos.

Tanto los hombres como las mujeres tienen que enfrentarse a algunas «primeras veces» durante los doce meses siguientes al fallecimiento del cónyuge. Los hombres tienen la tendencia a tratar estos sucesos como algo que hay que pasar. Las mujeres tienden a centrarse en estos sucesos y reflexionar sobre ellos aunque puede que sean dolorosos.

Algunas de las tareas que sugerimos en este libro pueden ser especialmente difíciles para los hombres. Puede que parezcan carentes de lógica o de beneficio práctico, especialmente si (como hombre) lo que tú quieres es terminar cuanto antes y seguir adelante. Queremos animarte a que le dediques tiempo a estas sugerencias. Confía en que los símbolos conmemorativos y otras demostraciones externas de tus sentimientos son formas sanas de trabajar a través de tu duelo para alcanzar soluciones sanas y positivas.

La experiencia de Susan

Rick había sido la persona con quien había compartido mis más intensas respuestas emocionales ante la vida. Compartíamos un profundo interés por personas, lugares y sucesos. Es cierto que hablaba con otras personas acerca de mis sentimientos, pero podía compartir con Rick mis emociones más fuertes sin tener que preocuparme de refinarlas o reformarlas para hacerlas socialmente aceptables. Ahora Rick estaba muerto, y mi recurso emocional primario había desaparecido. No contaba con nadie con quien poder desahogarme. Habíamos compartido tantos sentimientos y teníamos tantos puntos de vista en común que ahora no sabía qué iba a hacer sin él.

Las personas que nos conocían me veían a mí como una mujer fuerte e independiente, lo que es especialmente cierto en mi vida profesional. Pero yo misma me sorprendí de verme tan débil y tan en el aire cuando mi esposo murió. No obstante, excepto en unas pocas ocasiones, nadie me vio llorar. Era capaz de hablar acerca de lo triste que me sentía, pero nunca tuve la impresión de que nadie tuviera idea de mi grado de desesperación y malestar. Tampoco se dieron cuenta de cuánta energía necesité para poder mantenerme de pie. Con todo, durante muchos meses casi cada noche estaba sola en casa, llorando, clamando y gritando. Quizá te puedas imaginar la escena, expresaba mis emociones con fuerza y libertad. Me sentía agotada después de aquello y entonces me dedicaba a escribir sobre dichas emociones, oraba o le escribía a Rick una carta. Todo esto me ayudaba a reducir la tensión emocional y la agitación que sentía.

Parte de mi indecisión para mostrar las emociones es parte de la herencia genética y del entorno, pero también es resultado de mi profesión. Como psicóloga, otros dependen de mí para imitar maneras saludables de manejar las situaciones y adaptarse. Lo adecuado era llorar, pero yo prefería expresar mi dolor mediante palabras, no con llanto. Las lágrimas hacen que otros se sientan muy incómodos. Este argumento me iba bien, porque yo tampoco me sentía cómoda perdiendo el control de mis emociones ante la mayoría de la gente. Sí me permitía dar rienda suelta a mis sentimientos con expresiones verbales y no verbales, lo que es más importante que el lugar o la compañía. Pensándolo de nuevo, hubiera sido bueno tener a alguien que tratase con mi debilidad y vulnerabilidad, y así no hacerlo yo todo por mí misma.

Si cuentas con alguien con quien puedas abrirte por completo y mostrarte vulnerable, puedes considerarte afortunado. Cultivar amistades con otras personas viudas me fue de gran ayuda, y me sentiré siempre agradecida por el nivel de comprensión que experimenté con ellas. Si tú no has intentado acercarte a otros que hayan enviudado recientemente, de verdad te animo a que empieces a hacerlo. Los otros viudos pueden ser un recurso valiosísimo.

Mi hija fue una de las personas con las que traté intencionadamente de expresar mis sentimientos, incluso llorar con ella a veces. Nos sentíamos muy unidas y quería seguir relacionándome con ella. Mi hija conocía bien el dolor por el que habíamos pasado como familia, y ella también estaba en su proceso de duelo y echando de menos a su padre. Yo quería que nos ayudáramos mutuamente en nuestra tristeza y que tuviéramos la libertad de expresar nuestro dolor. Sin embargo, con todo lo unidas que estábamos, en realidad nadie puede saber la esencia y la intensidad de la relación con el ser querido fallecido. Nadie puede conocer exactamente cómo se siente la otra persona. Sara y yo teníamos cada una nuestro propio proceso de luto, y a pesar de todo lo que yo quería facilitar su proceso, todavía no sé qué éxito tuve. Podemos dar a nuestros amados permiso para expresar con libertad su dolor pero, con todo, el luto es una experiencia individual tanto para nosotros como para nuestros hijos.

Al principio traté con mi proceso de duelo centrándome intensamente en mí misma. Creo que durante bastante tiempo no veía el dolor de los demás, porque el mío era muy intenso. Me puse tareas que me ayudaban en el duelo y a la vez me proporcionaban algo de alivio físico. Salía a dar largos paseos por el bosque o la playa. Asistí a seminarios sobre el luto, participé en reuniones de los Servicios a Personas Viudas, volví a escuchar las cintas, miraba cuadros y fotografías, leía cartas, me iba a esquiar y pasear en bicicleta. Practiqué todas las sugerencias que menciono en este libro. Con el tiempo, todo eso combinado con otras tareas del proceso del luto, empecé a recorrer un buen trecho del valle de la pérdida y empecé a sentirme mejor.

Los viudos tenemos muchos sentimientos en común, especialmente debido a que todos hemos tenido una relación personal significativa con alguien que ya no está vivo. El sentimiento primario con el que me identifico es la pérdida de un alma gemela. Pero también me sentí aliviada de que la batalla había terminado. Sé que eso suena como una combinación extraña, casi como polos opuestos. No obstante, la pena no tiene por qué tener sentido, como tampoco los sentimientos.

No soy consciente de ningún sentimiento de culpa o remordimiento. Dada la enfermedad que padecía Rick, sabíamos que iba a morir. De hecho, en tres ocasiones pensamos que no sobreviviría. Pero esas experiencias nos impulsaban a vivir cada momento en plenitud. Rick y yo hicimos eso en muchas maneras. Tuve amplia oportunidad de expresar mi amor, pedir perdón y tener la seguridad de haber hecho todo lo que de verdad quisimos hacer. Por tanto, no tenía ahora ningún «si yo... » o «si no hubiera... » con los que lidiar. Vivimos nuestra vida en el presente, y me siento bien acerca de lo que tuvimos e hicimos. También puede ser ese tu caso, especialmente si sabías que tu cónyuge iba a morir y fuisteis capaces de hablar acerca de vuestros sentimientos, deseos y frustraciones. Una vez que las cosas quedan arregladas en una relación, la culpa no tiene mucha oportunidad de sobrevivir.

Para cuando Rick murió, ya no me sentía enojada acerca de su muerte excepto en un importante aspecto. Estaba enojada por causa de mi hija. Estaba enojaba porque ya no podría tener a su padre. Estaba enojada porque la mayor parte de su vida no tuvo un padre con buena salud. Estaba enojada porque yo no tendría a Rick como padre de Sara para disfrutar juntos de nuestra hija. Durante su enfermedad, me sentí enojada con la profesión médica, con Dios, con Rick y con aquellos que en mi opinión no estaban haciendo todo lo que podían para ayudarle en su enfermedad. Después de su muerte, me di cuenta de que la mayor parte de ese enojo había desaparecido. Si quedaba algún enfado o irritación, estaba dirigido sobre todo a aquellos que parecían ignorar o ser insensibles acerca de cómo ayudar a una esposa en su duelo. Mi nivel de tolerancia era bastante bajo al tratar con personas que no sabían para nada lo que significaba estar viuda. Ahora me doy cuenta de que el elemento que les falta a muchos de ellos es sobre todo educación. Quizá cuando nosotros los viudos llegamos a la otra cara del dolor, podríamos darles a conocer nuestra experiencia y así ayudarles a entender mejor lo que es este proceso.

La experiencia de Robert

Siempre pensé que yo era una persona bastante abierta emocionalmente. Después de todo, como pastor había llorado con los que lloran y reído con los que ríen. No siento temor ni vergüenza por derramar lágrimas en público en ocasiones, igual que puedo reírme a carcajadas.

Sin embargo, al repasar las semanas iniciales que siguieron a la muerte de Char, recuerdo que me comportaba como el pastor que está ayudando y consolando a otro a través de su pérdida. Recuerdo claramente cómo algunas personas comentaron lo consolador que fui para ellos durante los servicios fúnebres.¡Ahí estaba yo, el que había perdido a su esposa, consolando a otros en su pérdida! Sólo ocasionalmente, cuando un amigo muy cercano acudía a verme, rompía a llorar, pero aun entonces lo que realmente hacía era compartir las lágrimas con ellos.

Durante meses después del funeral de Char me sentaba solo, como lo había hecho durante varios meses antes de su fallecimiento, cuando se encontraba hospitalizada o durmiendo, y me ponía a escuchar al coro del Tabernáculo de Brooklyn. Sus interpretaciones de algunos himnos, como «Oh, qué amigo no es Cristo», me hacían llorar. Lloraba solo, a veces hasta una hora.

En otras ocasiones, me enojaba. Unas veces estaba enojado con Dios, otras lo estaba conmigo mismo o con Char, pero en general lo estaba con aquella terrible situación. Yo no había buscado aquello, no lo quería, y lo que deseaba es que desapareciera. Rara vez le contaba eso a alguien. Pero solía irme a mi cuarto y arrojar almohadones contra la pared o darme largos paseos (a veces casi de ocho kilómetros) para aliviar mi enojo.

Al fin lo alivié cuando tomé las riendas de mi proceso de luto. Unos dieciocho meses después de la muerte de Char, me metí otra vez de repente en un período intenso de dolor. Debido probablemente a mi pasiva actitud en cuanto al duelo, muchas de mis emociones se habían acumulado en lo profundo de mi ser. Pero al fin me di también cuenta de que yo no había muerto. Iba a seguir vivo, y si quería vivir con cierta calidad, tenía que hacer algo acerca de mi vida. De ahí que me dedicara a hacer una serie de cosas: me di cuenta de que había aumentado de peso al caer en la trampa de usar la comida para sentirme mejor. Resolví cambiar mis hábitos de comida, y en los nueve meses siguientes perdí ocho kilogramos. También empecé a seguir muchas de las sugerencias que aparecen en este libro, especialmente escribirle cartas a Char y leérselas en el cementerio. Volví a visitar algunos de nuestros lugares emotivos favoritos. Miré de nuevo las fotografías. Pero sobre todo terminé de remodelar mi cocina. Tenía que seguir adelante. Así que hice todas estas cosas intencionadamente para decir adiós. Dije adiós como cien veces, pero cada vez me resultaba más fácil.

Ahora sé que Char se ha ido. La amé, pero ella ha muerto; yo no. También me amo a mí mismo, y llevo conmigo los recuerdos maravillosos de veintiocho años de un matrimonio feliz. El dolor ha desaparecido definitivamente. Los recuerdos están asegurados, y mi vida sigue adelante.

Cómo se relaciona la pérdida de un cónyuge con el trabajo o carrera

La mayoría de los hombres se definen a sí mismos hasta cierto punto por su trabajo o profesión. Cuando les preguntan: «¿Quién eres?», muchos hombres responden en referencia a su trabajo: «soy cartero» o «soy maestro». Para un hombre, su carrera es uno de los elementos de más peso para definirse a sí mismo.

Para la mujer, por el contrario, la definición de sí misma viene de otras fuentes. Para muchas, la fuente más importante es la de la familia y otras relaciones importantes. Dado que en la actualidad hay más mujeres en carreras profesionales, la tendencia puede estar cambiando. No obstante, para muchas, su trabajo suele verse todavía como un suplemento al del esposo. Las mujeres pueden tener trabajo, pero los hombres tienen carrera profesional o laboral. Piensa, por ejemplo, quién sigue a quién cuando se produce un traslado en el trabajo. Tradicionalmente, la esposa sigue al esposo. Si la esposa va a ser trasladada a otra localidad, quizá se vea forzada a cambiar de trabajo porque la carrera del hombre tiene normalmente prioridad.

Cuando muere la esposa, por lo general el hombre todavía cuenta con una carrera establecida, que funciona como un punto de referencia y de estabilidad: «Bueno, todavía tengo mi trabajo». La mujer, sin embargo, no suele tener una carrera definidora o perdurable, o puede encontrar que su trabajo no provee los recursos suficientes para las necesidades de su nueva vida. Esto se agrava mucho más en el caso de una viuda con hijos.

Tanto los hombres como las mujeres pueden encontrar que el trabajo les ayuda a distraerse del proceso del luto. Los hombres son especialmente conocidos por sumergirse en el trabajo como una manera de evitar lidiar con su dolor. Las mujeres también pueden usar el trabajo para distraerse del dolor y de la soledad que están experimentando. Unos y otras necesitan encontrar ahí un buen equilibrio. Sin duda alguna, el trabajo puede proporcionar el respiro que se necesita en el dolor del luto. El trabajo puede ayudar a reducir la tensión emocional y llevarte de vuelta a un ambiente social más normal. Pero tienes que cuidarte de no usar el trabajo para evitar la tarea del proceso de luto que tienes por delante.

La experiencia de Susan

Creo que yo muestro más características masculinas en relación con el trabajo que la mujer común y corriente. Quizá no era así hace veinticinco años. En ese tiempo empecé a ver mi trabajo como un componente complementario e incluso necesario de mi vida. Me hice enfermera titulada y enseñaba en la Escuela de Enfermería. Pero cuando nació nuestra hija, pensé que me dedicaría a completar mis estudios de Maestría sobre todo como una distracción de las tareas de maternidad. Me dije a mí misma que podría regresar más tarde a trabajar a media jornada cuando Sara empezara a ir a la escuela.

Sucedió entonces que a Rick le descubrieron el tumor en el cerebro y le dieron cinco años de vida. Eso lo cambió todo por completo. De repente me di cuenta de que era yo quien iba a tener que proveer los recursos económicos que necesitaríamos. Pasé por la misma situación que atraviesan muchas mujeres viudas que no tienen una carrera, se enfrentan de repente a la realidad brutal de que su estabilidad financiera depende de ellas. Mi ventaja fue que recibí un aviso, me podía preparar.

Así pues, regresé a la escuela, no como un entretenimiento o una escapatoria, sino para sobrevivir. No sólo completé el master en psicología, sino también un doctorado. Cuando Rick murió, ya llevaba seis años empleada a pleno tiempo como psicóloga clínica. Siempre me gustó mi trabajo y encontré la tarea no sólo muy interesante, sino también como una excelente distracción para mi vida. Había desarrollado la capacidad de dividir en compartimentos mi vida, de manera que cuando me iba a la oficina podía dejar detrás la vida del hogar. Podía acudir a la clínica con la disposición de trabajar (dicho sea de paso, todavía lo hago) y sumergirme por completo en los asuntos del trabajo, dejando a la puerta las cuestiones personales y familiares.

Cuando Rick murió y Sara estaba en la universidad, me sentí tentada a evitar el dolor permaneciendo el máximo de tiempo en ese otro mundo del trabajo. Después de todo, mi vida personal se encontraba ahora vacía, solitaria y era absolutamente desagradable. Pero yo conocía más cosas. Sabía y había dicho a mis clientes que sumergirse por completo en el trabajo no curaba las heridas ni resolvía la pérdida. Sólo posponía lo inevitable. De modo que me impuse regresar a casa por la noche, rehusé extender mi horario de trabajo con el fin de llenar la soledad y el inmenso hueco que me había dejado la muerte de Rick. Tomé la decisión consciente de no distraer ni enterrar mi vida en el trabajo.

Los fines de semana eran los días más difíciles para mí. Al principio me mantuve ocupada con la familia y las amistades que me rodeaban, dejándoles a menudo que me organizaran la vida y el programa de los fines de semana. Pero entonces me di cuenta de que algunas de estas actividades me resultaban más incómodas que simplemente quedarme en casa. Permanecer en casa me resultaba más fácil que salir y tener que tratar con otros mientras me encontraba todavía con mi dolor. Así que pasaba bastante tiempo en casa sola, y al fin caí en la cuenta de que podía dedicar estos fines de semana para ocuparme de mi proceso de luto. De manera que los sábados y domingos sacaba mis colecciones de diapositivas y fotografías. Empecé a realizar otras de las actividades que mencioné antes en el libro. Y al fin llegué a reconocer más claramente los efectos positivos de equilibrar el trabajo y el tiempo personal para avanzar en el proceso de mi duelo.

La experiencia de Robert

Creo que soy trabajador y diligente. Mientras Char disfrutó de buena salud, logré combinar el trabajo como pastor y luego también como profesor. Además de esos trabajos, terminé otros estudios superiores y saqué mi título. Char terminó su Maestría, y criamos tres hijos bien activos.

Cuando la salud de Char empezó a decaer y necesitamos tiempo para ir a las consultas de los médicos o viajar a otras ciudades, o cuando ella necesitó someterse a operaciones quirúrgicas con largos períodos de recuperación, todavía me las arreglé para seguir con el ministerio de la enseñanza. Le debo mucho a mi seminario por su gran flexibilidad en mis horarios de clases.

Al mirar ahora en retrospectiva, puedo ver que estaba usando la enseñanza como una forma de mantener una apariencia de estructura y orden en mi vida. Pero a medida que Char se debilitaba y yo me iba retirando de mi trabajo emocional y mentalmente, sabía que después de su muerte tendría que compensarlo. Se lo debía al seminario. Ellos estaban siendo muy comprensivos y pacientes conmigo, así que luego tendría que devolver el favor. Poco después de la muerte de Char, empecé a entregarme intensamente a mi profesión. Necesitaba ocupar mi tiempo, y el trabajo me servía muy bien para ese propósito puesto que podía quedarme en la oficina en vez de enfrentarme a una casa vacía. Los días de la semana transcurrían muy bien porque tenía algo que hacer, pero los fines de semana eran algo muy diferente. Me encontraba solo y totalmente consciente de que mi alma gemela ya no estaba conmigo.

Me mantuve ocupado también de otras maneras. Habíamos comprando nuestra vieja casa en 1980, diez años antes de diagnosticarse el cáncer de Char. Como me gustan bastante el bricolaje, me dediqué a restaurar la casa y pintarla, y terminé rehaciendo casi cada elemento de aquella vivienda. A finales de agosto de 1993, cuando Char se encontraba confinada en una cama de hospital en nuestra propia casa y su condición y extrema debilidad no le permitían levantarse, empecé a trabajar en el cuarto de baño del primer piso y prácticamente lo rehice por completo, poniendo una bañera y una ducha nuevas. Lo hice por ella. Ella siempre había querido que arregláramos ese cuarto de baño, y yo quería que lo viera terminado antes de morir. Terminé la tarea, pero Char nunca lo vio. Se encontraba demasiado débil como para poder llevarla arriba. Tomé fotografías, porque eso era lo mejor que podía hacer.

Unos tres meses después del fallecimiento de Char, empecé a restaurar la cocina. Ese era un proyecto importante. De nuevo, rehice las paredes por completo. Eliminé un armario, reorganicé la distribución del espacio, instalé un gran ventanal y renové todos los electrodomésticos de la cocina. La mayor parte del tiempo era consciente de que estaba cumpliendo con otro de los sueños que Char y yo tuvimos juntos. Justifiqué el proyecto sobre la base de que revalorizaba la casa y ayudaría para cuando quisiera venderla. Pero en el fondo sabía que lo estaba haciendo por ella. A veces me imaginaba lo que ella diría cuando viera los arreglos. Ojalá me hubiera acordado de que ella ya no estaba presente y que no lo vería nunca.

Terminar el proyecto de la cocina significó para mí el comienzo de una verdadera sanidad. Había retrasado con éxito mi proceso de luto, pero ya no podría seguir evitando reconocer su ausencia. Tuve que enfrentar mis temores, mis emociones y mi vacío. Estaba cansado de vivir en el pasado; ahora tenía que seguir adelante con mi vida. Quizás algunos de nosotros hombres sentimos que tenemos que pagar nuestra cuota antes de proseguir con nuestra vida. Yo pagué la mía. Terminé con el proyecto de la cocina. Ahora puedo trabajar en mí mismo.

Cómo reaccionan los demás a la pérdida

Uno de los aspectos más difíciles del proceso del luto es cambiar nuestra perspectiva en cuanto a las relaciones sociales anteriores. Las amistades cambian, esta es una realidad de la vida. Una persona que ha estado casada y ha tenido una serie de amigos casados ahora tiene que aprender a relacionarse con ellos en su nueva condición de persona sola. Inicialmente, los buenos amigos acuden en tu ayuda, pero no olvides que ellos también están dolidos por la pérdida. Cuando te ven a ti, a menudo todavía ven a tu cónyuge también. Ellos quieren ayudar, pero la forma en que prestan su ayuda está con frecuencia condicionada por el sexo a que pertenezcan.

Muchos ven a las mujeres como necesitadas de ayuda en sus tareas diarias, para poder dedicarle más tiempo a sentimientos. Los amigos creen que las viudas necesitan apoyo emocional porque han sido abandonadas. Ellas también necesitan a alguien que les haga algunas de las tareas propias del hombre, como ayudar con las finanzas, los autos o el cuidado del jardín. Los amigos, los padres o los hijos tienden a ocuparse de ciertas funciones que piensan que el esposo realizaba, especialmente las asociadas con la protección y la seguridad.

A los hombres, por otro lado, se les trata como si tuvieran menos necesidades emocionales. Los amigos y los que quieren ayudar se centran a menudo más en las necesidades físicas del varón. Se preocupan más de cómo va a cocinar, hacer la colada y (especialmente si hay niños en la casa) llevar a cabo todas las otras tareas domésticas que normalmente realizaba la esposa.

Esto hace que el proceso del luto sea más difícil para el varón. Como los hombres tienden a evitar la expresión abierta de sus emociones, necesitan que se les anime a hacerlo. También sucede que los amigos procuran evitar las referencias al aspecto emocional. Algunos estudios indican que, a los dos meses de haber fallecido la esposa, menos de una tercera parte de los hombres han hablado directamente con alguien acerca de su muerte. En comparación, en ese tiempo la mitad de las mujeres suelen haberlo hecho.[3] Dado que es tan improbable que los hombres comuniquen sus sentimientos, es importante encontrar un sistema de apoyo. Si eres viudo, te animamos a vencer lo que puede ser una tendencia natural a aislarte. Busca a un amigo cercano o únete a un grupo de apoyo donde puedas expresar con confianza tus sentimientos. La buena noticia es que para finales del primer año del proceso del luto, casi tres cuartas partes de los hombres y más del 90 por ciento de las mujeres habrán buscado ayuda de alguna forma.[4] Lo fundamental es tomar la iniciativa. Pide ayuda. En la mayoría de los casos, tus amigos puede que no sepan qué clase de ayuda necesitas realmente. Habla con ellos acerca de la clase de apoyo y de ayuda que sería mejor para ti.

La experiencia de Susan

Cuando Rick se encontraba ya muy enfermo y en fase terminal a finales del verano y en el otoño de 1994, nuestros familiares y amigos estaban disponibles cada vez que los necesitábamos. Eso fue de gran ayuda y consuelo. Cuando él murió, ellos también estuvieron allí. Tenían también su propia pena, pero aun en su dolor nos transmitían el mensaje de que nos tenían muy en cuenta a Sara y a mí.

Sin embargo, la realidad empezó a hacerse sentir después del entierro. Regresamos del cementerio a mi casa para comer juntos. Cuando los familiares y amigos empezaron a marcharse, yo sentía el impulso urgente de detenerlos. No quería que se fueran. Me iba a quedar sola con mi pena. El dolor había quedado amortiguado hasta ese momento debido a su compañía, pero ahora la casa se quedaba vacía. No mucho después Sara y su novio también se irían, y yo me quedaría sola con mi terrible dolor.

Empecé a experimentar que la familia y los amigos pueden proporcionar apoyo hasta cierto punto, pero que esto era fundamentalmente algo que yo tenía que resolver. En aquellos momentos no podía expresarlo con palabras, pero al verlo ahora en retrospectiva me doy cuenta de que esta fue la primera pista. En el transcurso de mi proceso del duelo, sentía que las amistades me ayudaban durante el corto tiempo que estaba con ellos, pero la mayor parte del tiempo estaba sola. Los amigos estaban ahí sólo en un momento fugaz. El resto del tiempo me las tenía que apañar por mi cuenta.

Mis padres siempre han sido una parte cercana e importante en mi vida. Hace mucho que pasamos de la relación paterno filial a una más saludable y madura entre adultos. Eso me gustaba mucho. Cuando Rick murió tuvimos que revisar la dinámica de nuestra relación. Obviamente se preocupaban tanto por mí que querían llenar el gran hueco que me había dejado la muerte de mi esposo. Ellos habían llegado a amar tanto a Rick que también estaban pasando su propia duelo. La tentación estaba en dejar que ellos llenaran el vacío, que ocuparan parte del espacio que había dejado la muerte de mi amado. Estaban dispuestos a pasar tiempo conmigo en aquellos largos y solitarios fines de semana. Al principio parecía una buena idea, una buena distracción y una forma positiva de ocupar el tiempo. Pero de alguna manera me di cuenta en mi pena de que aquello no iba a ser lo mejor a la larga para ninguna de las dos partes, de modo que empecé a establecerme ciertos límites sobre cuánto contacto tendría con ellos. Creo que fue algo difícil para todos nosotros, y quizá desconcertante y doloroso al principio para ellos. Pero yo no podía dejar que mi tiempo se llenara con todas esas actividades porque sólo conseguiría evitar el dolor del luto que tanto necesitaba enfrentar. Mirando atrás, pienso que fue una decisión sabia. La relación con mis padres ha vuelto a ser la apropiada entre adultos. No dependo de ellos, pero disfruto mucho de su compañía. Quizá tú también estés lidiando con una familia que está tratando de hacer que las cosas sean lo mejor para ti. Confío en que puedas tomar decisiones sabias al establecer los límites, de modo que no te desvíes de tu meta fundamental, que es experimentar la otra cara del dolor.

Tampoco había pensado mucho en cómo podrían cambiar las amistades después de la muerte de Rick. Creo que di por supuesto que iban a continuar como siempre. Pero, sin Rick, muy pronto sentí que las cosas eran diferentes cuando me invitaban a ir a cenar a su casa. La silla vacía hablaba a gritos de la ausencia de Rick. Algo era diferente, alguien faltaba. Enfrentarme a la realidad de que ya no era una pareja resultó bien difícil. Con el tiempo, estar con viejos amigos se hizo más fácil, pero después de que pasaron los días tan ocupados de las fiestas, me di cuenta de que las personas llamaban con menos frecuencia. Yo no estaba segura de por qué.

Fui a mi primera reunión de los Servicios a Personas Viudas tres meses después del fallecimiento de Rick. Los encontré dialogando sobre el tema «amistades cambiantes». Alguien comentó que, después del primer año de viudez, muchos de los viejos amigos desaparecerían de tu vida. Recuerdo que pensé que eso no iba a ser así en mi caso. Me preocupaba mucho que hubiera cambios en mis relaciones, pues ellos eran todo lo que tenía. No obstante, tras la muerte de Rick, con el paso de los años ha cambiado el perfil de muchas de mis amistades. No han terminado necesariamente, pero se presentan y comportan de una manera diferente. En ciertos momentos los ajustes fueron dolorosos. A veces llegué incluso a pensar que algunos de nuestros amigos habían estado más interesados en Rick que en mí. Sin embargo, también aprendí el valor de desarrollar nuevas amistades, especialmente con personas no casadas y con otros que estaban pasando por experiencias semejantes a la mía. Aunque he apreciado a amigos que se habían divorciado, todavía prefería pasar tiempo con personas que habían enviudado, personas que por lo general echaban de menos a su cónyuge y su relación con ellos. No me interesaba tanto pasar tiempo con amigos que se sentían aliviados o felices porque su matrimonio hubieraa terminado. Ahora he llegado al punto en que ya no me importa en absoluto si mis amigos están casados, divorciados o viudos, sencillamente porque he sido capaz de verme a mí misma como una persona completa que tuvo la fortuna y la dicha de disfrutar de un buen matrimonio durante veinticuatro años y que ahora está empezando un nuevo capítulo en su vida.

La experiencia de Robert

Creo que durante mi primer año como viudo no dejé que mucha gente se acercara demasiado a mí emocionalmente. Mis hijos y yo hablamos a veces, pero fueron en general conversaciones breves y cuidadosas. Ellos ya estaban sufriendo su propio dolor, ¿cómo podía yo cargarlos con el mío también? Otros amigos se preocuparon mucho por mí, pero en realidad no estaban cerca cuando yo quería de verdad hablar. Mis familiares y mis amigos probablemente habrían estado dispuestos a ayudarme, pero yo mantenía mi pena dentro de mí hasta últimas horas de la noche. Uno no quiere molestar a los amigos a esas horas. Ocasionalmente hablaba con un amigo o dos acerca de mi situación, pero la mayor parte del tiempo me las apañaba yo solo.

Creo que una de las razones por las que me protegía a mí mismo era porque todos mis amigos estaban a su vez sufriendo su propio duelo. Pienso que encontraban difícil aceptarme o verme a mí meramente como persona. Especialmente durante el primer año después de la muerte de Char, me veían como uno que estaba «solo» o «un viudo» o «en luto». No creo que pudieran verme como «Robert» sin la sombra de Char a mi lado.

Sólo cuando empecé a relacionarme con nuevos amigos que no eran parte de mi historia anterior empecé a sentir que yo tenía valor como individuo. Irónicamente, me sentí mucho más capaz de hablar acerca de mi dolor con ellos porque se podían centrar en mi pena sin confundirla con la suya propia. Si tuviera que pasarlo de nuevo, empezaría a relacionarme con otros cuanto antes. Seguramente iría cuanto antes a grupos de apoyo; tal vez trataría de encontrar a otras personas en la misma situación que la mía que no hubieran conocido a Char, de modo que su propia tristeza no complicara las cosas.

Cuando cambia el número (de dos a uno), las amistades también cambian. Así es. Puede que se redefinan o se reafirmen, pero cambian. Los amigos auténticos lo reconocen. Algunos amigos pueden permanecer cerca de ti aun en tu condición de persona sola, pero recuerda que pasamos por una serie de fases en nuestra vida, y algunos amigos sólo están ahí en esos períodos. Hay muchos potenciales amigos con los que puedes relacionarte.

Perspectivas sobre el sexo y las segundas nupcias

La sociedad sostiene muchos puntos de vista distorsionados sobre el sexo y las segundas nupcias en relación con los viudos y las viudas. A muchas personas les resulta bastante difícil disociarse de su difunto cónyuge debido a que el matrimonio tuvo un tremendo poder definitorio en su vida.

Las viudas, más que los viudos, tienden a sentir un fuerte sentido de lealtad hacia su difunto esposo y se las ve muy preocupadas sobre lo que puedan pensar otros acerca de su comportamiento. Dado que las mujeres tienden a definirse a sí mismas en razón de sus relaciones personales o sociales, les puede resultar más duro disociarse de su difunto esposo.

Los hombres, por su parte, tienen la tendencia a entrar más rápidamente en nuevas relaciones sexuales y matrimoniales. Los varones desean reedificar la estructura de su vida. Tienden a querer regresar a su equilibrada vida anterior mediante el restablecimiento de un hogar ordenado, disminuyendo su soledad y satisfaciendo sus deseos sexuales. Estos deseos empujan al varón más deprisa que a la mujer hacia la recuperación social. Por otro lado, los hombres aunque tienden a ser más lentos en su recuperación emocional.

Lograr la recuperación social no significa necesariamente volverse a casar. Trataremos este tema de las segundas nupcias más ampliamente en el capítulo 9. Recuerda, sin embargo, que un segundo matrimonio es sólo una de las maneras de restablecer una forma de vida estable. Hay grandes diferencias entre hombres y mujeres en este asunto de volverse a casar. El 65 por ciento de los hombres, comparado con sólo el 45 por ciento de las mujeres, dicen en un momento temprano de su luto que van a echar de menos las relaciones sexuales. Para fines del primer año del fallecimiento del cónyuge, aproximadamente la mitad de los hombres se encontraban ya casados o comprometidos en relaciones serias. Únicamente el 18 por ciento de las mujeres se encontraban en este tipo de compromiso.[5] Por supuesto, esta estadística está también influenciada por el hecho de que hay menos hombres disponibles que mujeres. Algunos estudios indican que las mujeres pueden tener un nivel superior de temor o ansiedad ante el establecimiento de una nueva relación íntima.[6] Llegar al punto de aceptarse a sí mismo como un ser sexual es también un aspecto importante del proceso de la pena.

La experiencia de Susan

Nunca planeé volverme a casar. Dudo que alguien que haya enviudado recientemente lo haga. Recuerdo muy claramente una soleada tarde del verano anterior a la muerte de Rick. Estábamos sentados en nuestro patio con vistas al lago, y Rick evidentemente tenía una agenda. Me sorprendió su persistencia en hablar acerca de lo que sería mi vida después que él hubiera muerto. Yo no quería pensar en una vida sin él, y cuando continuó hablando sobre el tema, le tomé de la mano y le rogué que no lo hiciera. Él se molestó, y con tono serio agregó que necesita decirme algunas cosas a pesar de lo poco que yo quería escuchar acerca de ellas. Siguió adelante a pesar de mis protestas. Me dijo que amaba el estar casado conmigo, y que pensaba que yo había sido una gran esposa.

Como resultado, consideraba que yo tenía derecho a una nueva relación y que no quería pensar en mí viviendo sola y sin un buen compañero. Me habló de cuánto le dolía no poder permanecer conmigo y ser ese compañero, pero quería que yo le prometiera que me volvería a casar.

Recuerdo claramente cuánto me disgustaron esas palabras y cómo le dije que nunca me volvería a casar, pero él insistió en que unas segundas nupcias le honrarían a él porque los que son felices en un matrimonio suelen casarse de nuevo si se presenta la oportunidad. No dejó el tema hasta que le prometí que, si se presentaba la persona correcta, recordaría sus deseos y me casaría. En aquel momento (y durante bastante tiempo después) pensé que no tendría que cumplir aquella promesa, porque posiblemente no aparecería en mi vida nadie con quien me quisiera casar, y mucho menos que hubiera alguien que quisiera casarme conmigo. No es que pensara que yo no merecía la pena, sino que sabía que Rick había sido un hombre tan especial que resultaría difícil encontrar otro como él. Una amiga íntima mía reforzó esa idea en mí cuando le expresé mi tristeza porque nunca volvería a tener un compañero. Esta amiga coincidió conmigo en que era muy improbable que sucediera, porque mis aspiraciones eran muy elevadas. Yo no podía verme casada con nadie más. Admito que aborrecía ciertos aspectos de la soledad: no tener ese compañero que era mi alma gemela, irme sola a la cama, y sentirme a veces sexualmente insatisfecha. Pero traté de sublimar esos deseos en otras áreas de mi vida.

Unos seis meses después de la muerte de Rick, me animé a desarrollar nuevas amistades (tanto de hombres como de mujeres) para ayudar a llenar algo del espacio vacío en mi vida. En ese proceso, fui madurando en mi capacidad de verme como adulta sola. Pero antes de llegar al punto en el que deseara salir con otros hombres, conocí a Robert. Empezamos a cultivar una amistad basada en el deseo de ayudarnos a través de nuestro proceso de duelo. Esa amistad creció, y después del primer aniversario de la muerte de Rick, empezamos a salir juntos. Entonces empezamos a trabajar en la manera de combinar nuestras dos familias, lo que es un arte en sí mismo, algo muy parecido a jugar al ajedrez. ¡Cuánto más sencillo era nuestro primer matrimonio, sin tener que desempeñar papeles complicados y sin relaciones ya establecidas! Nuestra familia y amistades se han adaptado a su propio ritmo. Nos sentimos bendecidos y gozosos con la posibilidad de empezar un nuevo capítulo de nuestra vida. Nos casamos en agosto de 1997. La vida siguió adelante después de la herida y del dolor de la viudez. Salió algo bueno de lo malo. Hay un nuevo amanecer después del duelo.

La experiencia de Robert

Char y yo hablamos bastante acerca de su muerte y sobre lo que sería mi vida después de su partida. Fue muy abierta en cuanto a sus deseos. Podía aceptar con serenidad la realidad de su cercana muerte porque su comunión con Dios era íntima y sólida. Su fe era fuerte y se estaba hartando del dolor y de la debilidad que invadía su cuerpo. Durante los últimos dos meses de su vida me pidió que orara para que su muerte llegara pronto.

Char lamentaba profundamente no estar presente para la boda de sus hijos y el nacimiento de sus nietos. Desde su muerte, se han casado nuestros tres hijos y ha nacido nuestra primera nieta: Hannah Charlene.

Char insistió en que me volviera a casar. Me hizo dos peticiones: que esperara al menos un año y que no me casara con cierta mujer divorciada que Char pensaba tenía sus ojos puestos en mí. Pero me dio permiso para seguir adelante con mi vida, aunque en aquellos momentos pensé que la idea era totalmente inapropiada. Me resistí varias veces a sus ruegos, pero ella insistió tan a menudo que por fin le di las gracias por su permiso, pero le reafirmé que la cuestión de unas segundas nupcias estaba muy lejos en el camino.

Durante los primeros meses del invierno siguiente a su muerte, hubo que decidir sobre una lápida para su tumba. Mis padres habían comprando una conjunta para ellos y estaba instalada sobre la tumba de mi padre aunque mi madre vivió diez años más. Me entrevisté con la empresa que prepara estos elementos funerarios. «Sí —me dijeron—, podemos grabar un águila con el versículo favorito de Char». Nadie se molestó en preguntarme si de verdad quería una lápida en común. Nadie me dijo nada acerca de los puntos a favor o en contra de una elección así. Así que encargué una lápida conjunta, para que mi nombre apareciera en la parte izquierda sin la fecha de fallecimiento, y el nombre de Char en la parte derecha.

Durante mis primeras visitas al cementerio, me gustó y me consolaba aquella lápida en común. Pero para mediados del verano (unos seis meses después de su muerte), empecé a sentirme incómodo cada vez que veía mi nombre grabado en la piedra. Aquella era su tumba, no la mía. Desde luego que yo tenía la firme intención de que me enterraran a su lado cuando llegara el momento, pero fui adquiriendo conciencia de que yo no había muerto. Esa no era mi tumba, al menos de momento. Tenía todavía mucho que vivir. Quería que la lápida fuera un hermoso recuerdo de Char, pero ahora empezaba a representar más de lo que había tenido en mente. Aquella piedra venía a decir que yo iba a continuar alguna clase de relación con mi difunta esposa. Pero es un hecho contrastado que, a medida que el proceso del luto progresa, el viudo con frecuencia se va separando emocionalmente del lugar físico de la tumba. Así, al tiempo que la tumba perdía cierto sentido de su presencia, empecé a darme cuenta de que había cometido un error al encargar una lápida conjunta. Este fue el principio de mi despertar. La decisión de reemplazar la lápida en común por una individual dedicada a Char sola fue sumamente difícil. Tenía que tener bien claro que no estaba rechazando los recuerdos amados de mi difunta esposa, pero tenía también que estar bien claro que mi identidad no tenía que encontrarse grabada en una tumba. Disponía de una vida nueva. Seguía vivo y adelante.

Cuando yo muera, bien puede suceder que me entierren al lado de Char, pero puede también que no sea así. Lo que ahora sé es que una lápida conjunta puede sugerir que de alguna manera puedo continuar relacionándome con alguien que ha muerto. Pero esa relación no es posible. Así que pedí que cambiaran la lápida, no porque esté rechazando algo del pasado, sino porque esa piedra no representa mi futuro. «Hasta que la muerte os separe» es lo que se dice en los votos matrimoniales. La muerte nos había separado. No hay razón para que una lápida nos mantenga juntos. Soy libre para seguir adelante con mi vida, libre para vivir y para amar de nuevo.

Otra parte de mi despertar que estaba teniendo lugar a los ocho meses de la muerte de Char tenía que ver con el resurgimiento de mi vertiente sexual. Empecé a darme cuenta de que la intimidad que una vez disfruté dentro del matrimonio era algo que podía anhelar tener de nuevo, en las circunstancias correctas. Por una serie de razones, incluida la de dar expresión a mi sexualidad, no podía imaginarme pasar el resto de mi lado solo.

Con todo, no me apetecía nada tener citas, pues eso me sonaba muy de adolescente. Lo primero que quería era tener amistades. Más tarde, quizá, pensaría en volver a casarme. En una conversación con mi hermano, le expliqué mis condiciones para una posible compañera. Eran expectativas muy elevadas, tan altas que él pensó que eran casi imposibles de conseguir. Pero eso me parecía bien. Había tenido un buen matrimonio y, si me iba a casar, no estaba dispuesto a conformarme con menos de eso.

Susan y yo nos conocimos en la primavera de 1995. Entablamos amistad; ninguno de nosotros tenía intenciones o ambiciones románticas. Rick había muerto sólo seis meses antes y yo estaba todavía pasando por mi período de despertar. Pero nos convertimos en almas gemelas. Empezamos a hablar acerca de escribir este libro, y luego comenzamos a trabajar en el manuscrito. No fue sino hasta noviembre de 1995 que empezamos a salir juntos. Aun entonces los dos fuimos muy cuidadosos. Nos respetamos mutuamente en nuestra necesidad de resolver primero nuestro propio luto antes de seguir adelante. Como amigos nos hemos ayudado el uno al otro muchísimo. Seremos amigos para siempre, aun dentro de nuestro matrimonio.

Sé tú mismo como persona

Confiamos en que de alguna manera te veas a ti mismo en el relato de nuestras experiencias. Nosotros no somos típicos, nadie lo es. De eso es de lo que estamos hablando. Tú eres lo que eres, ya seas hombre o mujer. Es cierto que el sexo juega un papel importante en la formación de nuestra percepción de nosotros mismos. Muchos estudios señalan que los hombres y las mujeres no son sólo físicamente diferentes, sino también psicológicamente. Aunque sean más visibles las diferencias físicas, el varón y la mujer poseen también diferentes elementos emocionales y psicológicos.

Sin embargo, todas las características masculinas y femeninas son generalidades. Todos nosotros somos seres humanos únicos, y algunos hombres y mujeres poseen cualidades que con frecuencia están asignadas al sexo opuesto. Las características definidas como masculinas o femeninas no pertenecen exclusivamente a uno u otro sexo; nos pertenecen a todos. Creemos firmemente que, especialmente en el proceso del luto, tanto los hombres como las mujeres pueden salir muy beneficiados de aceptar las características del sexo opuesto además de las suyas propias.

7

¿Cómo seguir siendo padre en medio del duelo?

La manera de tratar con los hijos en esta situación

Si todavía tienes hijos en el hogar tras la pérdida de tu cónyuge, te enfrentas a una situación especialmente difícil. Tienes ante ti la doble tarea de lidiar con tu propio luto y ayudarles a ellos a tratar con el suyo. ¿Cómo encontrar un buen equilibrio entre estas dos tareas tan importantes y a la vez tan emocionalmente agotadoras? ¿Qué es lo que puedes hacer que te ayude en este proceso? ¿Hay obstáculos que debes evitar?

La psicóloga dice

Cuando de verdad nos cuidamos a nosotros mismos, abrimos la puerta a poder cuidar más profundamente de otros. Cuanto más alerta y sensibles estamos a nuestras propias necesidades, tanto más amorosos y generosos podemos ser con otros.

Eda LeShan

Cómo lidiar con el duelo de un hijo

Los niños también experimentan su proceso de duelo, pero debieras ser consciente de que ellos no expresan su dolor de la misma forma que los adultos. Como padre viudo, eres un modelo para tus hijos. Van a estar observando muy de cerca cómo expresas tus emociones, tratas tu enojo, enfrentas tus tareas diarias y vives los asuntos de fe. En cuanto a las emociones, por ejemplo, si dejas que tus hijos vean tu tristeza, les estás diciendo que está bien mostrar las emociones dolorosas. Tus hijos pueden tender a imitar tu estilo de procesar la pena, y es importante ayudarles a ellos a expresar sus sentimientos más que interiorizarlos.

Sé cuidadoso, no obstante, en mantener un buen equilibrio. Si tus hijos sospechan que estás tan afectado por el dolor que eres incapaz de controlar la situación, puede que no quieran abrumarte a ti con su propia carga. Los hijos son en general conscientes de que tú eres el único progenitor que les queda, y no quieren que acabes tan sobrecargado que no puedas seguir adelante. Sin embargo, es natural que exijan más de tu tiempo, puesto que el otro progenitor ha muerto. Con todo, tendrás que encontrar el tiempo necesario, aparte de tus hijos, para tratar con tu propio duelo a fin de que también puedas manejar debidamente tus expresiones de dolor ante ellos.

El duelo de un hijo aparece a veces complicado por temores no expresados. Tus hijos pueden sentirse culpables por la muerte de su padre o madre. Pueden tener ideas equivocadas acerca de la magia o del cumplimiento de deseos, pensando que sus pensamientos o deseos enojados causaran realmente la muerte de su padre o madre. Pueden sentir algún tipo de remordimiento por la manera en que trataron a su progenitor fallecido. Los hijos pueden incluso llegar a creer que la muerte de su padre o madre es el resultado o el castigo por su mal comportamiento. Necesitan ayuda para entender que ellos no tuvieron parte en ningún sentido en la muerte de su padre o madre. Dales, pues, una explicación clara de que la muerte ocurrió debido a una enfermedad o accidente. Ayúdales a comprender la realidad de que cosas así pasan en esta vida. Quizá también quieras indicarles que todos vamos a morir en algún momento en la vida, aunque no sepamos cuándo o cómo sucederá.

La sinceridad al explicarles la muerte del padre o madre es esencial. No trates de protegerlos de esa realidad. Decirle algo que no es exacto o que es tan general que los engaña no los va a ayudar y puede hacerles perder la confianza en ti. Evita usar terminología «se ha ido», «duerme», «pérdida» o cosas así para referirte al difunto. Los eufemismos confunden mucho. Diles directa y amorosamente que su padre o madre ha muerto y que ya no está con ellos. La cantidad de información y los detalles que les comuniques tienen que ser apropiados a la edad de los niños y a sus preguntas, pero digas lo que digas, asegúrate de que es cierto.

Como cristiano, quizá desees asegurar a tus hijos que podrán verse unos a otros algún día en el cielo. Pero incluso cuando describas el cielo, sé cuidadoso en representar la Biblia correctamente. Sabemos mucho acerca del cielo, pero nadie sabe con exactitud a qué se parecerá. Recuerda que la Biblia no presenta con claridad la naturaleza de las relaciones familiares en el cielo. Mantén el centro de atención sobre todo en que el cielo es un lugar de perfección, y sabemos que los que están allí con Dios experimentan una gran felicidad y placer que nunca tendremos en la tierra.

Sugerencias prácticas

1. Dedica tiempo con cada uno de tus hijos individualmente expresando tu dolor por la muerte de tu cónyuge y de su padre o madre. Permite que vean alguna expresión emocional apropiada de duelo de tu parte.
2. Permite que tus hijos hagan preguntas acerca de la muerte de su padre o madre. Reafírmales que no tienen ninguna culpa ni parte en lo sucedido: la muerte sucede, no la causa nadie.

Cómo tratar el asunto de la seguridad emocional

Los padres proveen a los hijos de seguridad emocional. Cuando uno de ellos muere, se intensifica la necesidad de seguridad de los hijos. Necesitan saber que tú vas a estar ahí para atenderlos, que vas a escuchar y aceptar lo que ellos necesitan decir, y que su vida va a seguir siendo estable y segura. Un elemento esencial que ayuda a dar esta seguridad es una expresión constante de amor hacia ellos. Abraza a tus hijos con frecuencia.

Procura mantener en lo posible la rutina normal de su vida. Sé especialmente cuidadoso en que tus hijos no se sientan tentados a asumir papeles y responsabilidades que cumplía previamente tu cónyuge. Algunos de ellos sienten la necesidad de hacerlo, y a veces hay padres que esperan que eso suceda. Pero lo último que los hijos necesitan es ser abrumados con las responsabilidades del padre o madre que falleció. Muy a menudo se les dice a los niños que van a tener que ser el «hombrecito» o la «mujercita» de la casa. Esto es muy perjudicial e inapropiado. Con todo, si te sientes muy limitado a la hora de encontrar tiempo para tus hijos, ellos pueden sentirse tentados a hacer de «mamá» o «papá» sólo para llamar tu atención o para hacer que te esfuerces por encontrar más tiempo para ellos. Si ves que esto es lo que está ocurriendo, busca la ayuda de familiares o amigos hasta que decidas cómo manejar la situación o aliviar la carga que están soportando. La mayoría de nosotros no contamos con el tiempo extra para cargar con más tareas cuando un cónyuge muere. Probablemente será necesario que revises tus prioridades en cuanto a tareas y responsabilidades y hagas los arreglos necesarios.

También puedes proveer seguridad manteniendo los contactos con familiares y amigos. Tus hijos están acostumbrados a ver y a relacionarse con ciertos grupos de familiares y amigos. Si ven que esas personas están también experimentando el dolor de la pérdida, eso les asegurará que sus experiencias son normales. Esto también puede recordarles que todavía cuentan con un fundamento de apoyo en personas que se preocupan por ellos.

Los hijos con frecuencia ven a los padres como inmortales e infalibles. Les asusta mucho darse cuenta de que sus padres son humanos y mueren. Tus hijos contaban con su padre o madre fallecido para que estuviera allí con ellos, y sufren de un sentido de pérdida o abandono tan fuerte como el que tú sientes. A su tiempo aprenderán que el cambio es en realidad lo único constante en la vida, pero esa conciencia de la realidad humana sólo viene con la edad y la madurez. Antes que eso suceda, tus hijos necesitan la seguridad de que tú (y otros familiares y amigos) vas a continuar cuidándoles aun sin la asistencia del otro padre fallecido. Con esa reafirmación, cabe la esperanza de que todos podáis desarrollar una perspectiva positiva a medida que avanzáis hacia la otra cara del dolor.

Refuerza con frecuencia el hecho de que el fallecido amaba a sus hijos, y recuérdales el orgullo y el gozo que sentía por tenerlos como hijos. Insísteles también en que puedan conservar ahora los recuerdos de aquella relación. Ayúdalos a formar y articular sus propios recuerdos. Ponte con ellos a escoger fotografías y objetos que sirvan como símbolos concretos de esa relación.

Sugerencias prácticas

1. Dedica tiempo cada día a expresar amor e interés por tus hijos mediante abrazos y besos y diciéndoles cuánto les amas.
2. Planea un tiempo cada semana o cada quince días durante el cual hagas algo especial y divertido con cada uno de ellos durante unas horas.
3. Ayuda a tus hijos a elaborar un libro o caja de recuerdos que sirva como recordatorio del padre o madre fallecido. Anímalos a escribir o dibujar acerca de sus recuerdos.

Cómo lidiar con el dolor en diferentes edades

Cada hijo es único, de manera que necesitan que los traten como seres humanos individuales. Sin embargo, en ciertos grupos de edad los niños pueden tener respuestas similares en cuanto a la muerte y el dolor debido a su desarrollo cognoscitivo y psicológico. Ten en cuenta las edades y capacidades de los niños a la hora de responder a sus preguntas.

Antes de los tres años de edad, debido a las limitadas capacidades de pensamiento y vocabulario de esa etapa, puedes encontrar que resulta bien difícil explicar lo que es la muerte a un hijo. A los seis meses un bebé tiene la capacidad de conservar la imagen de un objeto en su mente aun cuando no esté a la vista. A la edad de dos años, el niño tiene ya algún concepto de la muerte por medio de sus experiencias con animales. Los niños a esa edad entienden la muerte como algo que hace que los objetos ya no se muevan. Tienen muy poco conocimiento o apreciación de la permanencia de la muerte. Como no pueden expresar sus pensamientos y sentimientos, los niños más jovencitos probablemente se aferren a sus objetos. Su ansiedad e inseguridad pueden incluso precipitar en ellos el desarrollo de una regresión durante un poco de tiempo.

Un preescolar de entre tres y cinco años todavía no puede apreciar la naturaleza definitiva e inevitable de la muerte. Tienden a creer que la muerte es temporal y reversible, la persona que ha muerto está meramente viviendo bajo circunstancias diferentes. Este grupo de niños tiende a ser concreto, literal, directo y curioso. Ellos creen que el mundo gira a su alrededor. Una pregunta típica para un niño entre tres y cinco años puede ser: «¿Cómo pueden respirar?» o «¿Cuándo va a volver a vivir de nuevo?» A esa edad, los niños suelen tener una capacidad de atención corta, por lo que las respuestas a sus preguntas debieran ser breves, concretas y repetitivas.

De seis a siete años, los niños empiezan a entender que la muerte de sus padres es irreversible, pero ellos no pueden todavía concebir su propia muerte. Puede que conciban la muerte como una persona que se lleva a quienes no corren lo suficientemente deprisa como para escaparse. Los niños a esta edad pueden tener dificultades para expresar verbalmente lo que piensan sobre la muerte, por lo que puede ayudar que hagan dibujos y luego describan lo que hay en ellos. A veces, cuando estos niños hacen preguntas, puede ocurrir que no comprendas lo que realmente están preguntando. Antes de responder pregúntales qué piensan ellos, para tener claro previamente lo que quieren saber. Sus preguntas todavía tienden a ser bastante literales, y bastante gráficas. Por ejemplo, preguntan si los gusanos pueden llegar a la persona en la tumba. Vigila la posible aparición de sentido de culpa en los niños de uno a siete años. También tienen la tendencia a sentirse inseguros, y dan por supuesto que si sus padres mueren, ellos podrían morir también, como si la muerte fuera contagiosa como la gripe.

Para cuando los niños alcanzan la edad entre siete y nueve años empiezan a reconocer que la muerte es inevitable y sospechan que puede sucederles a ellos. Los de esta edad por lo general lidian con la muerte mejor que los de cualquier otra, probablemente porque tienden a aceptar la mayoría de las cosas con más facilidad. Tienen una activa vida de fantasía y se preguntan acerca del cuerpo inerte y qué es lo que le sucede. Hacer dibujos puede ser una salida saludable para la expresión de sus sentimientos.

Los niños de entre diez y doce años probablemente reconocerán que la muerte les sucederá a ellos también con seguridad, pero que les llegará cuando sean bastante mayores. En consecuencia, no suelen preocuparse por ello. Recuerda que ellos también pueden pensar que la muerte viene como castigo a quienes han hecho cosas malas y pueden estar considerando la muerte de sus padres desde esa perspectiva. Como están empezando a desarrollar la capacidad de razonamiento, los niños de esta edad están también más abiertos e interesados en las dimensiones espirituales de la muerte. Están también empezando a desarrollar el pensamiento abstracto y tal vez quieran saber más acerca del significado de los funerales.

Si estás leyendo este libro antes del funeral de tu cónyuge, piensa en cómo puedes involucrar a tus hijos en la atención a los que vienen a dar sus condolencias y en el servicio fúnebre. No es psicológicamente saludable proteger a los hijos aislándolos de estas actividades. Los niños interiorizan todo lo que son capaces de comprender y si desean más información harán preguntas. Por supuesto, no deberías esperar que los más pequeños participen durante toda la recepción de pésames, pero quizá quieras considerar dejarlos en la funeraria durante algún rato, especialmente si pueden estar allí con familiares y amigos cercanos.

Los adolescentes con trece a dieciocho años de edad son los que por lo general tendrán momentos más difíciles con la muerte y el luto. Su vida se encuentra ya en un período de grandes cambios, suelen estar confundidos acerca de sus emociones y se avergüenzan de hacer preguntas. Tienden a eludir las conversaciones sobre los sentimientos y con frecuencia recurren a su grupo de amigos para recibir apoyo en vez de acudir a sus padres. Pero la mayoría de sus amigos son incapaces de darles el apoyo necesario ya que tienden a estar muy centrados en sí mismos. Los adolescentes siempre tienen reacciones emocionales agudas, y sus reacciones de pena y dolor tienden a ser más intensas que las de los adultos. La mayoría de los adolescentes se niega a pasar por el proceso del luto en el tiempo de la muerte de su padre o madre. Ese proceso se demora y se complica a causa de las múltiples presiones que experimentan los adolescentes: la necesidad de conformarse a su grupo de amigos, la necesidad de controlar la situación, así como otras cuestiones propias de su etapa evolutiva. Además, teniendo en cuenta que el adolescente es un adulto en desarrollo, tú te puedes sentir tentado a esperar que se haga cargo de las funciones y responsabilidades de tu difunto cónyuge. Ten mucho cuidado con esto.

Los adolescentes son propensos a períodos de depresión. Vigila los cambios de comportamiento, especialmente el retraimiento y el aislamiento continuos, el descuido de actividades normales como los deportes, el evitar a los amigos, o el abandono o desinterés en las tareas escolares. Los adolescentes tienen de por sí un promedio superior de suicidios mayor que el resto de la población, y una pérdida tan importante como la de un padre o madre puede desatar esa tendencia suicida en algunos de ellos. Trata de hablar con tu adolescente acerca de sus sentimientos y de las razones para tener esperanza en la vida. Si piensas que está deprimido, lo mejor que puedes hacer es buscar consejo apropiado.

Después de los dieciocho años de edad, tu hijo o hija adolescente se ha convertido ya en un joven adulto. Ellos suelen tener más distracciones y actividades, pero eso no quiere decir que no estén sufriendo. Si este joven adulto se encuentra en la universidad, todavía están algunas de las presiones de adaptación. Aunque las personas de este grupo humano están desarrollando más madurez, la vida universitaria puede ser exigente y provocar demora en el proceso del duelo.

Con el paso de los años, tus hijos adultos pueden sentir el anhelo de tener a su difunto padre o madre con ellos en su graduación universitaria, cuando entran a su primer trabajo profesional, cuando se casan o tienen sus propios hijos. En cada uno de estos momentos importantes, será necesario revisar la pérdida de su ser querido.

Sugerencias prácticas

1. Asegúrate de que conoces y entiendes en qué etapa de desarrollo conforme a su edad se encuentra cada uno de tus hijos, antes de empezar a hablar con cada uno sobre la muerte y de responder a sus preguntas.
2. Ayuda a tus hijos a que entiendan la muerte del padre o madre fallecido desde su propia perspectiva por medio de varias explicaciones y libros.[1]
3. Reconoce que a medida que tus hijos crecen, probablemente necesitarán hablar de nuevo sobre la muerte desde una perspectiva diferente o más sofisticada y abstracta. Da pie, en el tiempo de los cumpleaños o aniversarios, a reevaluar dónde se encuentra cada hijo en su comprensión de la muerte y qué puede hacer falta para revisarlo con más profundidad.

Preguntas que tu hijo puede hacer

Estar preparado es siempre la mejor opción. Sin importar en qué edad se encuentren tus hijos, tú puedes anticipar la clase de preguntas que pueden hacer a medida que progresan en su proceso del duelo. Estas son algunas de las preguntas que pueden plantear. Piensa en cómo se las responderías.

¿Qué es la *muerte*? o ¿Qué significa la *muerte*?
¿Qué es lo que hizo que él o ella para que muriera?
¿Dónde se encuentra él o ella ahora?
¿Puede él o ella verme?
¿Cuánto tiempo estará mi papá o mi mamá muerto?

¿Puede esto ocurrirte a ti o a mí?
¿Cómo me las voy a arreglar sin mi papá o mi mamá?
¿Quién me va a cuidar?

Prepárate con tiempo para estas preguntas, y recuerda responderlas con sinceridad y de manera directa y específica. Si los hijos mayores han recibido enseñanza sobre creencias religiosas, quizá se estén preguntando acerca de la dimensión espiritual y del papel de Dios en la causa o prevención de la muerte.

Después del fallecimiento de tu cónyuge, padre o madre de tus hijos, vas a tener que trabajar mucho tanto para ti como para tus hijos. Tu familia va pasar por una metamorfosis; tendrás que formar una familia nueva y funcional, contigo como piloto al timón. Este va a ser un ajuste muy importante tanto para ti como tus hijos. Como único cabeza de familia vas a necesitar sabiduría para cumplir con el papel de tu difunto cónyuge además del tuyo propio. Eso no quiere decir que tengas que hacerlo tú todo, lo que resultará imposible y desde luego no será la mejor decisión. Tu cónyuge puede haber tenido habilidades e intereses que tú no tienes. Tal vez tu esposo disfrutaba mucho jugando al fútbol con los hijos en el parque, o tu esposa quizás enseñaba a las hijas a coser o a bordar. Es comprensible que no te apetezca cultivar estas actividades. Vas a tener que dialogar con tus hijos acerca del vacío que ha dejado el fallecimiento del padre o de la madre. Si aun así quieren cultivar una determinada actividad, quizá puedas encontrar un amigo o familiar que te ayude.

Recuerda que dos padres juntos pueden hacer el doble de tarea en cuanto a cuidar, atender y apoyar a los hijos en las actividades normales de una familia. Ahora estás solo y debes ser realista en cuanto a tus posibilidades. Tienes que reducir actividad en las áreas que tus hijos y tú consideráis menos importantes. Elige una actividad que cada uno de ellos prefiera por encima de las demás, y limítate a esa tarea. Olvídate de lo demás. Vas a aprender muy pronto que con frecuencia tratamos de meter demasiadas cosas en nuestra vida, pensando que cuanto más mejor. A menudo encontramos, quizá muy tarde, que *la cantidad* tiende a arrinconar las cosas que son de verdad importantes. Disfrutar con tus hijos, no importa en qué actividad, es mucho más importante que correr de una actividad a otra. Ha llegado el momento de simplificar, tanto por amor de ti mismo como por amor de tus hijos.

Sugerencias prácticas

1. Antes de empezar a explicar a tus hijos la muerte de tu cónyuge, será muy conveniente que entiendas claramente tus propios pensamientos y creencias

en cuanto a la muerte. Usa este tiempo para reafirmarte y tener una base sólida.

2. Identifica tus prioridades al dirigir a tus hijos y qué actividades quieres de verdad continuar para ellos teniendo en cuanta la realidad de que estás solo frente a todas las cosas.

3. Evalúa, considerando el tiempo dedicado, qué solías hacer tú directamente con tus hijos y qué hacía tu cónyuge. Haz una lista de las tareas y del tiempo que ocupaban. Considera lo que es ahora realista que tú puedes hacer, lo que pueden hacer otros que están dispuestos a ayudar, y lo que quizá conviene dejar (al menos por un tiempo). En esta área es donde los familiares y amigos pueden ser muy valiosos al ayudar con el transporte a la escuela, las tareas escolares, etc. Después siéntate con tus hijos y decidid juntos qué actividades son importantes, con cuáles es realista continuar y cuáles hay que descartar.

El pastor dice

Les aseguro que a menos que ustedes cambien y se vuelvan como niños, no entrarán en el reino de los cielos.

Mateo 18:3

Dejen que los niños vengan a mí, y no se lo impidan, porque el reino de los cielos es de quienes son como ellos.

Mateo 19:14

Separemos los hechos de la ficción

Es de noche y me voy a la cama
pido al Señor que guarde mi alma
y si muero antes del amanecer
pido al Señor que me lleve con él.

Puede que oraras de esa manera cuando eras niño. Quizá enseñaste también esa oración a tus propios hijos. ¿Pero te has detenido alguna vez a pensar en lo que realmente le estás pidiendo a tu hijo que diga en esa oración? Estoy seguro de que muchos de nosotros hemos usado una sencilla oración como esa para asegurar a nuestros hijos que Dios vela y los cuida aun cuando están durmiendo. Los niños pequeños suelen pasar por una época en la que temen la oscuridad, piensan que hay fantasmas en el armario o monstruos debajo de la cama. De modo que los enseñamos a orar. La cuestión es, ¿eso ahuyenta realmente sus temores o los hace pensar en la muerte antes de ir a la cama? Debemos ser cuidadosos, por tanto, y no establecer una relación demasiado estrecha entre el sueño y la muerte.

Las actitudes de los niños hacia el proceso y el hecho de la muerte son fácilmente influenciadas por sus padres. La forma como vives tu propio proceso de luto va a ejercer gran influencia en cómo traten ellos el suyo. Pero es muy importante separar los hechos de la ficción.

Hecho: Dios no quiere que las personas mueran; no más de lo que nosotros queremos. La muerte no era parte del diseño e intención originales de Dios para este mundo, y tampoco será parte del nuevo cielo y de la nueva tierra que él creará cuando Cristo regrese. La muerte es parte de la maldición del pecado, y representa el mal. Si bien es cierto que Dios nos rescata de la muerte, debemos ser muy cuidadosos en comunicar claramente a nuestros hijos que la muerte en sí no es lo que Dios quería, porque Dios es bueno.

Quizá puedes usar una analogía para ayudar a los más pequeños a entender esto. Si te encuentras en la playa edificando un castillo de arena, tú tratas de edificar el más bonito de que eres capaz. Justo cuando lo terminas, llega una gran ola y destruye por completo parte del castillo. La llegada de la ola no era algo que tú querías que sucediera, pero empiezas de nuevo a trabajar. Empiezas a reconstruir, esta vez quizá con un plan mejor que el anterior. La muerte es de alguna manera como la ola que se precipita inesperadamente sobre nosotros. La muerte no era algo que Dios originalmente quiso que sucediera, pero sucedió. Él permite que ocurra, pero todavía puede reedificar, y con frecuencia él puede hacerlo en formas mucho mejores de lo que nosotros podíamos imaginar.

Hecho: La muerte es real; le llega a todo ser vivo. Estamos en una cultura que adora tanto la vida que casi hemos negado el ciclo natural de la vida y la muerte. Aunque la muerte no era parte del plan desde el principio, todavía es parte del vivir. Las flores crecen en la primavera y mueren en el otoño. Las tortugas viven en su medio y luego mueren. Los gatos y perros viven y mueren. Los niños saben esas cosas. Sólo necesitan ayuda al enfrentar esta realidad directamente.

Una de las mejores maneras de ayudar a los niños a enfrentar la realidad de la muerte es hablarles directamente del tema. Usa la palabra «muerte» en vez de alguno de esos eufemismos como «se ha ido» o «ya no está». Los niños necesitan entender que la muerte de sus padres no es como cuando las visitas se marchan para irse a su casa. Sus padres no van a volver para visitarlos en algún otro momento. Puede que pienses que esto es cruel, pero esa forma directa de hablar es lo que más les ayuda. La Biblia no oculta la realidad de la muerte; nosotros tampoco debemos hacerlo.

Hecho: La muerte no es simplemente el final de algo, sino el comienzo de otra cosa. En cierto sentido los niños pueden creer en la vida después de la muerte más fácilmente que los adultos. Ellos todavía conservan la capacidad de ver más allá del mundo físico, porque su imaginación todavía les permite ir a lugares que a los adultos les da temor. El cielo es un lugar real, pero nosotros los adultos tenemos que admitir que en realidad no sabemos mucho acerca de él. Nuestra mente está tan llena de especulaciones: ¿qué edad tendremos en el cielo? Si muero a los seis años, ¿me quedaré así por toda la eternidad? ¿Reconoceré a mis padres? ¿Los esposos tendrán entre sí una relación íntima diferente de las demás relaciones? No lo sabemos. La Biblia no nos da una respuesta específica a estas preguntas.

Los niños también tienen sus preguntas específicas: Mi mamá o mi papá que ha muerto, ¿sabe si me va bien en el equipo de fútbol de la escuela? ¿Se entera de si hago algo que está mal? ¿Puede verme? ¿Me puede oír? Este tipo de preguntas son difíciles de contestar, pero es bueno ayudar a los niños a conocer la verdad de la relación que su padre fallecido tiene ahora con ellos. Si era cierto, afírmales en la verdad de que sus padres les amaban profundamente, se preocupaban por ellos mucho, y que todavía les amarán en el cielo. Pero también debes ser realista y evitar usar al ser querido fallecido como alguna forma de castigo o recompensa por el comportamiento presente de los hijos.

La muerte del padre o de la madre es el momento para un nuevo comienzo, no sólo en el sentido espiritual de que el fallecido va a otra vida, sino también para los que han quedado. Tienes que ayudar a tus hijos a aceptar el hecho de que el ser querido ya no estará aquí para ellos. El orgullo por sus logros y las celebraciones de acontecimientos especiales como las graduaciones, bodas y nacimientos deben compartirse con los vivos. Los niños deben aprender, tanto como tú, que ahora tienen una vida diferente por delante. Esta nueva realidad no es algo que ellos querían, pero tienen que empezar a reedificar su propia vida de la misma manera que reedificarían el castillo de arena que deshizo la ola.

Fe como la de un niño

¿Cuál es, entonces, la mejor manera en que puedes tratar con la naturaleza espiritual del proceso de tus hijos hacia la plenitud y la salud tras la muerte de uno de los padres? En su ministerio, Jesús adoptó una actitud singular hacia los niños, especialmente única para la cultura en que vivía. No sólo aceptó a los niños en su ministerio, sino que los usó como ejemplo de la fe verdadera. Él multiplicó el pan y los peces de un jovencito para alimentar a una multitud hambrienta (Jn. 6:1-15). Cuando se acercaba al final de su vida, reprendió a sus discípulos por tratar de alejar a los niños de él. «Dejen que los niños venga a mí», les dijo, «y no se lo impidan, porque el reino de Dios es de quienes son como ellos» (Mr.

10:14). Y al principio de su ministerio Jesús dijo que, a menos que tuviéramos fe como un niño, no entraríamos en el reino de los cielos (Mr. 18:3). Examinemos brevemente estos dos asuntos.

Primero, Jesús aceptó como valiosa la fe y la presencia de los niños en su ministerio. De hecho, los niños han jugado siempre un papel muy importante en la comunidad de fe. Incluso en el Antiguo Testamento, muchos de los rituales y ceremonias estaban centrados en los niños con el fin de enseñarles acerca de la fidelidad de Dios. Jesús continuó con ese tema. Los niños tienen fe auténtica y tienen un lugar auténtico en la comunidad de los fieles. Los niños no son sólo cristianos en potencia o creyentes en desarrollo. Creo de verdad que cuando un niño pequeño dice «Amo a Jesús», Dios se regocija tanto con esa declaración de fe como lo hace con la confesión de un adulto.

Segundo, cuando Jesús usó a los niños como modelo de fe, no estaba sugiriendo que tuvieran de alguna manera todas las respuestas o que hubieran penetrado en el conocimiento de todos los misterios de la fe. Todo lo contrario. Creo que les estaba recordando a los adultos que les iría mucho mejor si confiaran y dependieran de Dios como hacen los niños, con toda naturalidad. Los niños saben intuitivamente que no pueden funcionar por sí mismos; necesitan a los adultos. Los cristianos deberían saber intuitivamente que no pueden funcionar por sí mismos, que necesitan a Dios. Los niños son también más rápidos para confiar en aquellos que están cerca de ellos. Al menos en una situación familiar sana, la mayoría de los niños raramente cuestionan una promesa de sus padres o su dedicación a ellos. Sólo cuando esas promesas no son honradas de forma consecuente aprende el niño a desconfiar. Del mismo modo, los adultos también deberían tener esa misma confianza implícita en que Dios cuidará de ellos. Tener fe como un niño le ayuda al adulto a descansar más fácilmente en los brazos del Padre celestial. Puedes encontrar que, en cierto sentido, los hijos más pequeños se convierten de verdad en modelos para aceptar la muerte de tu cónyuge más fácilmente de como lo haces. Trata de aprender de ellos.

Quizá la mejor postura para lidiar con el aspecto espiritual del proceso de duelo de tus hijos es simplemente animarte a respetarlos. Escúchalos cuidadosamente. No los deseches a ellos o lo que dicen. No importa lo jóvenes o mayores que sean, tus hijos también se encuentran en el proceso del luto camino de la otra cara del dolor. Podéis recorrer el camino juntos.

Tus hijos tienen *temores auténticos* y *fe auténtica*. Escucha ambas cosas: sus temores y sus expresiones de fe. Quizás uno de sus mayores temores, especialmente para los más pequeños, es que tú y Dios también los vayáis a abandonar. A ellos les puede parecer que uno de sus padres ya les ha abandonado. Ha llegado el momentos de reafirmarles que Dios nunca los va a dejar ni se va a

116

olvidar de ellos (Dt. 31:9). Pero no bastará hacerlo sólo con palabras. Escucha amable y pacientemente sus temores, y entonces Dios puede obrar por medio de ti para volver a proporcionarles un sentido de paz y de plenitud. Escucha también sus expresiones de fe. Con frecuencia los hijos pueden ayudar a un padre lleno de dolor a abrirse camino a través de algunas de las complejidades del proceso del duelo. Qué sencillo es, y a la vez qué profundo, cuando una hija de siete años abraza a su madre y le dice: «Te quiero mucho, mamá, y Dios también te ama».

Tus hijos tienen *preguntas auténticas* y *respuestas auténticas*. Puede que sus preguntas no estén formadas o formuladas de la misma manera que las tuyas, pero aun así son importantes. Asegúrate primero de que entiendes la pregunta que hacen. Quizá conozcas la historia del pequeño Mateo, de seis años, que le preguntó a su mamá:

— Mamá, ¿de dónde vine yo?

Un poco sorprendida por la pregunta, la mamá se lanzó a una explicación de diez minutos acerca de la reproducción y el nacimiento. Por fin concluyó diciendo:

— Tú en realidad saliste de dentro de mí. Pero tengo la curiosidad de saber por qué andas preguntando esto.
— Oh —respondió el pequeño Mateo—, Jaime acaba de llegar a la casa de al lado y me ha dicho que vino de Guatemala. Y yo quería saber de dónde vine yo.

Así que cuando tu hijo te pregunta: «¿Cómo es el cielo?», pídele que respondan primero a su propia pregunta: «¿Cómo piensas tú que es el cielo, mi amor?» Luego escucha atentamente. Todas las descripciones que encontramos en la Biblia acerca del cielo, requieren el uso de una vívida imaginación, y puede ser que encuentres en la imaginación de tu hijo otra imagen del cielo en la que jamás había pensado. Bien sabes que los niños pueden salir con buenas respuestas, y tu hijo puede probablemente enseñarte unas pocas cosas acerca de cómo puedes usar la imaginación en tu proceso del luto.

Tus hijos tienen *dolor auténtico* y *esperanzas auténticas*. Yo uso un vídeo para un curso sobre cultura juvenil que empieza con la reacción de una pareja al suicidio de su hijo mayor. Una de las primeras cosas que hacen es obligar a su hijo estudiante de secundaria a que vaya al instituto, porque tiene exámenes. El diálogo continúa diciendo: «Nosotros nos ocupamos de esto, tú sólo ocúpate de lo que tienes que hacer». Quizás el escenario está exagerado, pero se centra bien en lo que se quiere indicar. Los adultos pueden dar por supuesto muy rápidamente que los hijos no sufren con lo que sucede. Observa lo que pasa en una funeraria cuando hay niños. ¿Cuántas personas hablan con ellos? ¿Cuántas pasan tiempo con ellos más tarde para ayudarlos en el proceso de su duelo? Por lo general tenemos tendencia a centrarnos en el adulto viudo o tratamos de atender a las necesidades de los hijos hablando acerca de las mismas con los adultos en vez de hacerlo directamente con los niños.

Gracias a Dios los hijos pequeños pueden ser muy fuertes espiritualmente. Su sencilla fe puede ayudarlos a recuperarse y seguir adelante. La fe involucra mucho misterio y mucha confianza. No contamos con todas las respuestas, pero en realidad nuestros hijos tampoco esperan explicaciones totales. Ellos simplemente quieren saber y ver que su fe sencilla tiene razón de ser y está bien fundada. Quieren saber que tú también sigues creyendo. No están buscando soluciones, están buscando modelos. Camina con ellos en su proceso hacia la otra cara del dolor.

8

∼✕∼

¿Y los asuntos financieros y laborales?
Cómo regresar a la realidad financiera

«¡Que pare el mundo! ¡Quiero bajarme!» ¿Cuántas veces has tenido ese sentimiento desde que tu cónyuge murió? Quieres que el mundo pare. A veces se acumula tanta presión por las decisiones pendientes que llegas a pensar que vas a estallar. Aun cuando ya has pasado el trauma del funeral y empiezas a reedificar tu vida, todavía tienes que tomar muchas decisiones difíciles.

El problema es... que el mundo no para. El mundo no le presta atención al hecho de que ha muerto otra persona. No le afecta lo más mínimo que tengamos aquí una persona menos para pagar facturas, cortar la hierba o llevar los niños a la escuela. Te las tienes que apañar como puedas. Quizás estés rodeado de familiares y de algunos buenos amigos, pero tienes que valerte por ti mismo. Y la realidad empieza a hacerse presente. Las facturas no paran de llegar; hay que seguir pagando la hipoteca; y el presupuesto familiar está alterado por completo.

El luto no sólo consiste en lidiar con sentimientos y emociones en momentos de quietud. El proceso también implica ciertas frías y duras realidades acerca de dinero, empleo y casa donde vivir. Confiamos que leas este capítulo muy pronto en tu proceso de luto porque muchos viudos se sienten tentados a tomar decisiones prematuras sobre estas áreas tan importantes. Nos gustaría proporcionarte la confianza para poder tratarlo a corto plazo. Más tarde podrás tomar decisiones más permanentes acerca de estas áreas clave de tu nueva vida.

La psicóloga dice

Nunca es demasiado tarde para ser lo que podías haber sido.

George Eliot

El dinero tiene su importancia

Todos necesitamos dinero, pero la economía es por lo general lo último en lo que quieres pensar cuando tienes que lidiar con tu duelo. A todos nos parece inoportuna la muerte del cónyuge, especialmente si fallece antes de llegar a la edad de la jubilación, y parte de esa inoportunidad está relacionada con todas las prosaicas decisiones que tienes ahora que tomar. Las parejas mayores suelen tener hechos ya arreglos financieros y planes de compra de una casa, pensando en la jubilación. Tienden a darse cuenta que un día morirán y, por tanto, hacen provisión para protegerse en las necesidades prácticas de la vida en caso de la muerte de uno de los dos. Las finanzas son un poco más estables después de la jubilación porque las pensiones y la seguridad social están ya funcionando. Ya no dependen de los ingresos laborales del otro cónyuge.

Sin embargo, cuando un cónyuge más joven muere, la pérdida de los ingresos presenta una situación completamente diferente. Normalmente las parejas jóvenes no han planeado para la muerte, al menos no en términos de algunas decisiones básicas sobre finanzas y vivienda. El dinero es necesario para nuestra subsistencia, y la mayoría encontramos que nuestros ingresos actuales sólo alcanzan para pagar la hipoteca de la casa, las facturas mensuales y otros gastos así. Muchas familias dependen de los ingresos de los dos, y las demandas económicas no se suspenden cuando un cónyuge muere. Por supuesto, el dolor de la pérdida financiera puede quedar aliviado si tu cónyuge contaba con un seguro de vida. En ese caso la crisis financiera puede aliviarse un tanto, pero puede que ese dinero no esté disponible inmediatamente, especialmente si surgen cuestiones legales con el testamento. Puede también que tú prefieras invertir los ingresos de la póliza del seguro de vida para tener seguridad financiera en el futuro, en vez de usarlo ahora para los gastos mensuales normales.

Así que, ¿que pueden hacer tu familia y tú para enfrentar la crisis financiera que la muerte puede causar? En primer lugar, tienes que encontrar la manera de gestionar bien el futuro inmediato. Vas a sentir sin duda alguna la presión de eliminar gastos mensuales o buscar otra fuente de ingresos. Pero si tu cónyuge acaba de morir, no te encuentras precisamente en el mejor momento para tomar ese tipo de decisiones. Seguramente desees dejar todo eso para otro momento, pero los acreedores y las agencias que se encargan de reclamar los pagos mensuales no suelen dar mucho margen de tiempo. Algunos viudos o viudas se ven forzados, por tanto, a tomar decisiones a corto plazo que quizás a largo plazo no sean las mejores para los intereses de ellos o de su familia. Una de las tentaciones es vender rápidamente la casa y trasladarte a una más pequeña y menos costosa. Otra tentación es meterte de lleno en un trabajo. Sin embargo, ninguna de estas opciones es ideal, y en lo posible debieras tomarlas sólo como último recurso. Desde la perspectiva psicológica lo mejor es conservar, si es posible, tu estilo de vida y residencia actuales durante el primer año. Recuerda que tu situación presente no va a ser la misma el resto de tu vida.

Aunque no estamos tratando aquí sólo con la situación financiera de las viudas, en realidad las mujeres son las que enfrentan crisis financieras más graves que los hombres. Los hombres tienden a trabajar a pleno tiempo y en puestos de trabajo mejor pagados que los de las mujeres. Con frecuencia ellas trabajan sólo a medio tiempo y están más involucradas en las responsabilidades del hogar y de los hijos. Incluso cuando la mujer trabaja a jornada completa, a ella se le suele pagar menos en tareas que son equiparables. Por tanto, cuando un hombre fallece, la viuda a menudo sufre una gran pérdida económica. Por supuesto, si por alguna razón los roles tradicionales han cambiado, un hombre puede verse a sí mismo en una situación financiera bien comprometida debido a la pérdida de los ingresos de la esposa. El hombre se enfrenta también a otro reto importante en el sentido de que nuestra cultura todavía ve al varón como el proveedor principal para las necesidades de la familia. Por lo tanto, la gente tiende a ser menos sensible o consciente ante las crisis financieras de los hombres.

Sugerimos usar la siguiente lista como un punto de referencia para evaluar tu propia situación financiera:

Sugerencias prácticas

1. Si te ves con deudas en varias tarjetas de crédito, por ejemplo, investiga si puedes juntar varios pagos en uno solo con el fin de hacer un único pago mensual y no varios. Eso puede reducir la cantidad total de los pagos mensuales y posiblemente el porcentaje de interés.
2. Investiga la posibilidad de una segunda hipoteca en tu casa, o de aumentar el plazo en que tienes que pagar tu actual hipoteca, con el fin de incrementar tu liquidez monetaria y tener menores pagos mensuales.
3. Consulta a un consejero en planificación financiera e investiga opciones específicas antes de tomar decisiones importantes acerca de vender o trasladarte. Esto es especialmente importante si has recibido los beneficios correspondientes a un seguro de vida.
4. Considera la posibilidad de permitir que los familiares o amigos íntimos te ayuden durante algún tiempo hasta que puedas averiguar todas tus opciones.

Sin embargo, ten mucho cuidado con las obligaciones implícitas que pueden traer ciertos regalos o préstamos.

5. Muchas ciudades cuentan con agencias para ayudar a las personas que han quedado viudas y se ven forzadas a buscar trabajo o mantener a su familia. Investiga las oportunidades que hay en la comunidad para capacitación laboral o búsqueda de trabajo. Por lo general estos servicios se ofrecen gratuitamente.

6. Antes de ponerte a trabajar o de aumentar tu horario laboral, considera con cuidado si de verdad estás emocionalmente preparado para esa empresa. ¿Es absolutamente necesario? ¿Cuánto tiempo conviene que estés en casa, sobre todo si hay hijos pequeños de por medio? Recuerda que a la larga puede ser mejor para ti y tu familia que pases más tiempo en casa. Aun si no tienes hijos en casa, te ayudarás en tu proceso de duelo si pasas un tiempo a solas antes de meterte de lleno en la vida laboral.

7. Puede que tu cónyuge tuviera una pensión o plan de jubilación al que tienes algún tipo de derecho. Dependiendo del país donde vivas, a los 60 años ya puedes recibir un buen porcentaje de los beneficios de la seguridad social que le correspondían a tu cónyuge si tú no estás recibiendo ya los tuyos propios. En realidad, puedes elegir entre los tuyos o los de tu cónyuge, según cuáles sean más elevados. A la edad de sesenta y cinco años ya tienes derecho al cien por cien de tu propia pensión de la seguridad social o la de tu cónyuge, la que sea mejor y más conveniente para ti.

Ir a trabajar

La mayoría de los estudios indican que no debieras tomar decisiones importantes demasiado pronto después de la muerte de tu cónyuge.[1] Como ya hemos dicho antes, la tendencia del viudo es pensar que la manera en que te sientes hoy es la manera en que te vas a sentir el resto de tu vida. Eso no es cierto, en absoluto. Si las presiones financieras no te permiten esperar antes de buscar un trabajo, al menos ponte a trabajar con la actitud de que es temporal. Míralo como una forma de llegar a final de mes o de empezar a adquirir experiencia antes de tomar decisiones importantes. Algunas veces los viudos o viudas creen que tienen que tomar inmediatamente decisiones permanentes acerca de lo que van a hacer durante el resto de su vida. Pero, si es posible, deberías aplazar las decisiones serias porque el proceso del duelo es por sí mismo tan absorbente que la mente apenas puede centrarse de forma equilibrada en estos asuntos. No puedes tomar las mejores decisiones a menos que cuentes con el mejor conocimiento y funcionamiento emocional, en buen equilibrio. Y al principio del proceso del luto uno tiende a responder emocionalmente a la mayoría de las cosas. Así, pues, te recomendamos que tomes una decisión temporal en cuanto al trabajo que sirva para atender tus necesidades financieras inmediatas, y esperes al menos un año antes de tomar decisiones de largo alcance. Eso no garantiza que estés listo para cuando llegue ese momento pero, mientras tanto, debes poner énfasis en evaluar tus propios elementos positivos y negativos, qué es lo que te gusta o no, y establecer tus propias metas personales. Para todo ello debes tener en cuenta tus preferencias laborales y tus habilidades personales.

También puedes decidir que quizá este sea el momento para buscar la oportunidad de una educación o carrera que antes no habías podido ni plantearte. Muchas veces las parejas toman decisiones conjuntas acerca de empleos que complementan su relación, pero puede que esas elecciones no reflejen necesariamente las preferencias personales de cada uno. Una de las ventajas de estar solo es que ahora puedes, y debes, tomar tus decisiones sin tener en cuenta las necesidades o deseos de los demás. Por supuesto, esto te puede sonar un poco duro, especialmente si tu cónyuge acaba de morir. No queremos minimizar con ello las desventajas a las que ahora te enfrentas. Sin embargo, una pista clave que indica que estás listo para tomar decisiones más responsables es cuando eres capaz de ver el lado más positivo de una situación que inicialmente te había parecido abrumadoramente negativa. Cuando estás listo para hacer esto, significa que has avanzado bastante en el proceso del luto.

¿Dónde vivir?

Algunos viudos encuentran que sencillamente no pueden seguir viviendo en la misma residencia cuando su cónyuge muere. La imposibilidad de cumplir con los pagos de la hipoteca de la casa, u otros factores de tu vida personal, pueden hacer insoportable continuar en el mismo lugar. Como ya hemos dicho, examina cuidadosamente la decisión de cambiar de casa. ¿Seguro que no hay otras opciones a corto plazo? Si al estrés ya de por sí duro del proceso del duelo le agregas la tensión del traslado harás que todo sea más complicado. El luto, como ya habrás podido experimentar, es un proceso agotador. También lo es cambiar de domicilio. Hacer las dos cosas al mismo tiempo es virtualmente imposible, de modo que en la mayoría de los casos lo que se hace es reprimir el proceso del luto. Si tienes hijos, su vida también ha quedado trastornada por la muerte de su padre o madre, y no necesitan más estrés. Es muy importante mantener la estabilidad para los hijos permaneciendo en la misma casa, escuela, iglesia, y en contacto con sus amigos en la medida de lo posible. Probablemente ya has establecido algunos sistemas de apoyo en el lugar donde vives ahora, y estás familiarizado con la composición de tu comunidad local: supermercados, escuelas, parques, templos, etc. Cambiar todo eso puede causar mucho estrés.

Puede que sientas algo de presión de parte de familiares y amigos bien intencionados acerca de lo que ellos piensan que es mejor para ti. Quizá tus familiares quieran que te traslades a vivir cerca de ellos para así poder echarte una mano. Posiblemente piensan que tu casa es demasiado grande y nada manejable para ti. Procura resistir su presión; debes tomar esta decisión personalmente y con tus hijos. Si bien su consejo puede ser de ayuda, en última instancia eres tú quien tiene que tomar la decisión. Tómate el tiempo necesario para considerar los factores más importantes para tomar una decisión en cuanto al cambio de residencia. Por ejemplo, el pago de una casa, por alquiler o hipoteca, no debiera exceder el 30 por ciento de tus ingresos. Las decisiones en cuanto a casas también hay que tomarlas a la luz de las necesidades sociales, consideraciones educacionales, componentes espirituales y ubicación del trabajo.

Si no hay una forma razonable de permanecer en tu actual residencia, entonces debes hacer unos ajustes importantes en tu proceso de luto. En vez de dejar tu duelo en la estantería, trata de ver el traslado a otro lugar de residencia como una oportunidad física para ponerle fin a tu proceso de luto, una manera de decirle adiós a tu pena. El tocar, empacar y mover tus cosas favoritas va a despertar probablemente muchos recuerdos en ti. Puedes usar esta oportunidad de una forma positiva y edificante para permitirte deleitarte en esos recuerdos, almacenarlos en un lugar nuevo de tu corazón y luego dejarlos atrás. Pero esto sólo será de ayuda cuando uno está de verdad lista para seguir adelante con su vida. Si tratas de hacerlo demasiado deprisa, puedes tener una experiencia emocionalmente muy difícil.

Si debes trasladarte y tienes hijos en el hogar, involúcralos en cierto grado en el proceso del traslado. Invítalos a ayudarte a revisar las cosas, empacarlas y soñar con los nuevos cuartos y arreglos de la nueva casa. Procura incluirlos en todo lo que puedas, dado que ellos también han perdido a una persona importante en su vida. Tú eres ahora el único padre vivo. Sé sensible al hecho de que este proceso es sin duda difícil para todos en la familia.

Por su parte, los hijos no tienen que estar involucrados en cada aspecto del traslado. Considera la posibilidad de pedir a algún miembro de la familia que se lleve a los niños a comer o a ver una película de vez en cuando. Esto te permite disponer de algún tiempo a solas para revisar tus colecciones personales de recuerdos. Quizá tu cónyuge y tú habían coleccionado fotos especiales, souvenirs, baratijas de viajes y otros objetos que les recuerdan su relación especial. Te animamos a usar este tiempo para algo de catarsis. Abre la puerta a tus emociones; llora; recuerda, saborea las memorias. Hacerlo te ayudará a seguir adelante en tu proceso de duelo en vez de posponer este alivio emocional. Si no tratas con tus emociones ahora, resurgirán más adelante.

Un año o más después

Si ya te encuentras en esa situación en que no sientes dolor intenso por la pérdida de tu cónyuge, si de alguna manera te sientes ya cómodo al contemplar tu renovada energía para evaluar y tomar decisiones, entonces te encuentras seguramente listo para enfrentar las cuestiones de empleo y de casa para los años venideros. Es probable que originalmente eligieras un trabajo y residencia para satisfacer vuestras necesidades como pareja. Esas necesidades eran importantes en aquel momento, pero tus necesidades personales probablemente han cambiado. En vez de tener que tomar decisiones combinadas que involucran a dos, ahora tienes la oportunidad de explorar lo que tú solo piensas, sientes, quieres y necesitas con respecto a tu casa y trabajo. Ahora eres libre para examinarte a ti mismo, identificar tus opciones y decidir tu propio camino hacia el futuro. Estos pueden ser momentos bien interesantes, aunque también abrumadores, en tu vida. Recuerda que las elecciones positivas pueden producir tanto estrés y ansiedad como algunas situaciones negativas, pero en vez de generar un estrés o angustia negativos, representan algo nuevo y excitante. Ten el valor de encarar lo que viene a continuación.

El pastor dice

Cualquier cosa que ustedes pidan en mi nombre, yo la haré.

Juan 14:13

Quien en ti pone su confianza jamás será avergonzado.

Salmo 25:3

Dios como nuestro proveedor

Los miembros de un matrimonio se ayudan mucho el uno al otro. Se dan compañerismo, aliento e intimidad. Comparten sueños y ambiciones, y empiezan a entretejer sus vidas tan estrechamente que suelen hablar de *nuestras* esperanzas y sueños, y entonces empiezan a trabajar juntos para hacer realidad esas ilusiones. Con mucha frecuencia, ambos esposos trabajan y comparten sus ingresos. Todos los gastos los pagan de una sola caja a medida que van juntando sus bienes comunes.

De este proceso pueden resultar dos cosas, una psicológica y otra espiritual. El resultado psicológico es que cada uno de ellos empieza a depender del otro, a veces hasta el punto de que su identidad personal queda completamente entretejida con la del otro. Por ejemplo, ninguno de ellos cuenta con su dinero personal, especialmente la esposa, si es una relación matrimonial tradicional. Ninguno de ellos tiene tiempo o amigos separados. Las vidas se han entretejido, y han alcanzado un cierto nivel de comodidad con esta situación porque cada uno de ellos confía y depende del otro para sus necesidades.

La consecuencia espiritual es que a menudo las parejas empiezan a esperar uno en el otro en vez de hacerlo en Dios para su provisión terrenal cotidiana. Después de todo, juntos tienen que presupuestar, planificar, trabajar y gastar. Las parejas toman sus decisiones juntos en cuanto a lo que cada uno de ellos puede contribuir para el conjunto, lo que cada uno puede aportar para el esfuerzo común. En ese proceso, se pueden sentir tentados a olvidarse del hecho de que es Dios el verdadero proveedor.

Cuando el cónyuge muere, te enfrentas de golpe al asunto de proveer para tu vida. Normalmente los pastores y los miembros de la iglesia te dicen que van a orar por ti. Por lo general, eso quiere decir que van a orar para que tengas paz en tu corazón, llegues a aceptar la realidad de la muerte de tu cónyuge, lidies con el estrés de adaptarte a la nueva situación de soledad, y (quizá) puedas enfrentar algunos de los efectos secundarios emocionales. Si eres la viuda, quizá un diácono se acerque y te haga la pregunta general: «¿Cómo va saliendo adelante?», tratando de insinuar la preocupación por las finanzas. Si eres un hombre, puede que eso no ocurra.

Cuando mi esposa falleció, ella estaba recibiendo todos los ingresos de su profesión como maestra. Aun durante su enfermedad, recibía algunas ayudas por incapacidad laboral. Aunque yo me encontraba bien establecido en mi carrera con un salario estable, una de mis primeras y principales preocupaciones después de su muerte fue cómo me iba a manejar en cuanto a las finanzas. Mi hija más joven estaba todavía en la universidad y yo ya estaba anticipando otros gastos importantes, como los posibles futuros matrimonios de mis hijos, pero nuestros ingresos familiares se habían quedado ahora en la mitad. No obstante, nadie preguntó nada. Nadie parecía pensar que las finanzas fueran un asunto por el que yo tuviera que preocuparme. Tuve que luchar con la idea de cómo Dios iba a ser mi proveedor.

No hay ninguna duda de que Dios provee. La Biblia está llena de ejemplos de cómo Dios provee para los que están en necesidad:

- *El maná y las codornices en Éxodo 16.* Dios proveyó para los israelitas durante cuarenta años cuando se encontraban peregrinando por el desierto. Cada día recibieron su alimento directamente de la mano de Dios. De hecho sus ropas nunca se gastaron (Dt. 8:4).
- *El aceite de la viuda en 2 Reyes 4:1-7.* Dios obró un milagro para que la viuda no sólo pudiera alimentar al profeta Elías, sino también para que su pequeña vasija de aceite llenara las demás vasijas en la casa. Ella pudo vender el aceite y así pagar sus deudas.

- *El vino en la boda de Juan 2:1-11.* Jesús no sólo se preocupaba por personas en situaciones desesperadas o bajo la amenaza de morir de hambre; también quiso que todo saliera bien en aquella boda. Quería que la gente pudiera celebrar y disfrutar de ese momento de gozo y fiesta. Cuando se les acabó el vino, Jesús pidió que llenaran seis tinajas y luego transformó el agua en el mejor vino de la celebración.
- *El pan y los peces de un muchacho en Juan 6:5-13.* Jesús tomó el pequeño almuerzo de un muchacho, compuesto de pan y peces, para alimentar a una multitud de cinco mil personas. Lo asombroso es que las sobras llenaron doce cestas, excedieron con mucho al almuerzo original del muchacho.

Podría seguir dando sin parar ejemplos de la provisión de Dios, y muchos de ellos son milagrosos. Quizá piensas que Dios puede o quiere hacer un milagro para ti. Pero la enseñanza básica es que Dios es quien provee y él va a cuidar de los que están en necesidad si piden con fe.

¿Cómo funciona esto? Si eso es cierto, ¿por qué no somos todos ricos? ¿Por qué no están todos bien atendidos? ¿Por qué algunos de nosotros nos enfrentamos a la ruina financiera? ¿No debiera hacerme miembro de esa Iglesia de la Vida Próspera que me envió una carta promocional hace algunos años? En la carta se veía un sol brillante cuyos rayos estaban llenos de autos, televisiones, billetes de banco y toda clase de bienes materiales. Debajo del dibujo se leían las palabras: «Pidan, y se les dará» (Mt. 7:7). ¿Qué tiene de malo ese cuadro?

La lección de los pasajes arriba considerados es que debemos cambiar nuestro orden de prioridades. Si bien es importante atender a nuestras necesidades materiales, ellas no son en realidad lo más importante. Dios, en esencia, nos está diciendo: «No te preocupes de las cosas pequeñas». Y para Dios, todo eso son «cosas pequeñas». Del mismo modo que Dios alimentó a los israelitas en el desierto *día a día* para que pudieran continuar su camino hacia la tierra prometida, así también proveerá para tus necesidades diarias según vas avanzando en tu camino.

En mi propio proceso del luto, tuve que enfrentar varias decisiones difíciles que tenían que ver con mi economía, la casa y los trabajos. En los tres primeros años después de la muerte de Char, tuve que considerar seriamente al menos cuatro ofertas de trabajo, tomar una serie de decisiones relacionadas con el seguro de vida, reorganizar mis finanzas, contemplar cómo mis tres hijos contraían matrimonio y vender mi casa. Ninguna de estas decisiones o experiencias fue fácil. Todas requirieron mucha energía emocional, largas conversaciones con amigos íntimos, mucho tiempo en oración y un auténtico deseo de seguir la dirección de Dios. No estoy seguro de haber tomado en todos los casos las mejores decisiones, especialmente al principio de mi proceso de duelo. ¡Pero Dios proveyó!

Necesidades *versus* deseos

Puede que debas reevaluar o redefinir las necesidades y los deseos. Me asombra la rapidez y sutileza con que mis deseos se convierten en mis necesidades. Sucede frecuentemente. De alguna manera una idea queda plantada en mi cerebro, echa raíces y empieza a formarse un deseo, y poco después ya tengo una nueva necesidad. Estoy hablando acerca de cosas simples: una nueva computadora, un par de zapatos, un televisor, o un nuevo equipo de CD.

Dios tiene su propia manera de redefinir los deseos y las necesidades. Al enseñarnos a orar pidiendo por «nuestro pan cotidiano» en la oración modelo (Mt. 6:11), el Señor nos está instruyendo a que confiemos en él para las necesidades diarias. Este es un tiempo oportuno para examinar tu estilo de vida. Al empezar a reedificar tu vida, ¿qué es lo que realmente necesitas? La lista de necesidades puede ser muy corta y muy general. Necesitas una casa; necesitas unos ingresos; necesitas amigos; pero sobre todo necesitas a Dios. Puede que quieras un cierto tipo de casa, un cierto nivel de ingresos, un cierto grupo de amigos, pero aquí es donde necesitas encontrar un buen equilibrio entre buscar lo que tú deseas y al mismo tiempo aceptar que tal vez Dios te esté dirigiendo en una dirección diferente y generalmente más emocionante.

Yo no sabía cómo iba a resultar todo lo relacionado con mis finanzas. Sin embargo, no pienso que tenga una fe simplista cuando sencillamente me aferro a la promesa de Dios: «Sabemos que Dios dispone todas las cosas para el bien de quienes lo aman» (Ro. 8:28). Con todo, sabía que todavía necesitaba planear y tomar decisiones sabias.

Ya mencioné en un capítulo anterior que unas sencillas palabras de Jesús en el Sermón del Monte se convirtieron en el versículo clave de mi vida: «Busquen primeramente el reino de Dios y su justicia, y todas estas cosas les serán añadidas» (Mt. 6:33. El apóstol Pablo también escribió: «He aprendido a estar satisfecho en cualquier situación en que me encuentre. Sé lo que es vivir en la pobreza, y lo que es vivir en la abundancia» (Fil. 4:11-12). ¿Y cuál era su secreto? «Todo lo puedo en Cristo que me fortalece» (Fil. 4:13). Al redefinir muchas de tus necesidades como deseos, abres la puerta para esta clase de fe que descansa en Dios como proveedor de todas tus necesidades diarias.

Recibir sin esperar

Hace algún tiempo escuché una historia simplona sobre una pareja refugiada en el tejado de su casa para protegerse de las aguas de un torrente cada vez más amenazador. A medida que las aguas subían, varias personas se acercaron para rescatarlos. Primero llegó un hombre con una barca de remos, luego acudió otro en una barca a motor y, finalmente, cuando las aguas empezaban a llegar a lo más alto del tejado, llegó un helicóptero. Pero en cada ocasión la pareja rechazó la ayuda, diciendo:

— Nosotros somos cristianos, y estamos orando para que Dios nos salve.

Los pobres se ahogaron, y cuando llegaron a las puertas del cielo le preguntaron al Señor:

— ¿Por qué no acudiste a salvarnos?

A lo que el Señor respondió:

— Lo intenté tres veces, pero ustedes no quisieron aceptar mi ayuda.

Esta es una historia muy simple, pero quizá no tan tonta como uno podría pensar.

Muchas veces lo que hacemos al orar es darle a Dios una explicación de nuestra *solución* en vez pedir la suya. ¿Cuántas veces le decimos a Dios cómo arreglar el problema en vez de dejarle que él provea su propia solución? Si eres cristiano, indudablemente orabas pidiendo por la curación de tu esposa. Sin duda te aferrabas a promesas de que Dios escucharía tus oraciones. Pero ahora se te hace evidente que Dios no estuvo de acuerdo con tus soluciones. Resulta bastante difícil tratar de entender por qué les suceden cosas malas a personas buenas. De alguna manera tienes que aprender a equilibrar dos pensamientos que parecen opuestos: Dios puede hacer todo lo que quiera y, no obstante, suceden cosas malas. Sea como sea tenemos que aprender la realidad de que Dios permite que sucedan estas cosas malas aun cuando él las desea aun menos que tú. Pero también has de saber que él puede tomar todas estas situaciones y, a su tiempo y manera, hacer que resulten para tu beneficio.

El propio Jesucristo nos sirve de modelo. Mientras se encontraba en el huerto de Getsemaní, sabía que su destino era la cruz. No obstante, le comunica al Padre lo que él quería. Al prever la agonía y el dolor de la cruz, ora diciendo: «Padre mío, si es posible, no me hagas beber este trago amargo» (Mt. 26:39). Le indica a Dios su deseo, pero inmediatamente agrega las palabras: «Pero no sea lo que yo quiero, sino lo que quieres tú».

Orar que se haga la voluntad de Dios no es una forma de evadirse. Cuando se ora así con la actitud correcta, te estás comprometiendo en un acto de fe y de confianza en que Dios en su gracia proveerá. Una vez que te has puesto en las manos de Dios de esa forma, puede ser tan libre como Jesús para decirle a Dios lo que tú quieres, y esperar en que él proveerá

La mayordomía de tu vida

Procura ser un buen administrador de tu vida sin importar cuáles sean las circunstancias. Cuando estás en el proceso de la pena, puedes tender a enfocarte mucho en ti mismo. En muchos sentidos esta actitud es buena y sana. Algunos promueven las siglas de la palabra «gozo» en inglés, J.O.Y.: Jesús es lo primero, los Otros son lo segundo, y Yo lo tercero. Este acercamiento es muy simplista y *no* representa la enseñanza de las Escrituras. La relación entre Cristo, los demás y tú no es secuencial. Tú tienes que poner atención y propósito en estas tres áreas. Escuchamos muchos mensajes cristianos que nos instruyen para que pongamos a Cristo primero y a los otros en segundo lugar. La implicación es que debes negarte a ti mismo y prestarle menos atención a tus necesidades en este proceso. Esa conclusión es falsa. Tú mereces y necesitas prestarte atención a ti mismo. Necesitas tiempo para pensar en tus propias necesidades, estrategias y metas para tu incipiente nueva vida.

Sin embargo, espiritualmente hablando, esta acción de centrarse en uno mismo también necesita mantenerse en un buen equilibrio. Empleo a menudo la palabra *mayordomía* para este fenómeno, pero quiero agregar rápidamente que no me refiero a la administración en el sentido limitado y económico de la palabra. Estoy hablando acerca de usar todos tus recursos, dones, talentos y experiencias en el servicio del reino de los cielos. La enseñanza básica queda bien resumida si decimos que dando es como se recibe. Siempre me impresionan las palabras de Pablo en 2 Corintios 1:3-4:

> Alabado sea el Dios y Padre de nuestro Señor Jesucristo, Padre misericordioso y Dios de toda consolación, quien nos consuela en todas nuestras tribulaciones para que con el mismo consuelo que de Dios hemos recibido, también nosotros podamos consolar a todos los que sufren.

Yo empecé a experimentar la primera parte de este versículo, que Dios es un «Dios de toda consolación» y que él nos consolará. Lo que realmente me tocó profundamente, es la expresión «para que...». El ser consolados por Dios tiene un propósito aun más elevado y completo: tengo que ser un administrador de mi consuelo. Ahora desearía haber visto eso antes. Veo que traté de mantener mi dolor dentro de mí, en lugar que intentar manejarlo por mí mismo; y ahora creo que si hubiera buscado a otros en la misma situación hubiéramos estado mucho mejor capacitados para consolarnos mutuamente. Sé que esta es una definición un poco extraña de «mayordomía», pero quiero animarte a que no intentes acaparar tu pena. Comunícate con otros cuando estés listo para hacerlo, porque en ese compartir no sólo vas a consolar a otros, sino que tú también hallarás consuelo para ti.

Este principio se aplica a todos los aspectos de tu vida. Trata de volver a participar en el servicio cristiano cuando te hayas ocupado del proceso de tu luto. ¿Servías como voluntario en algún ministerio antes de que tu cónyuge muriera? Empieza a hacerlo de nuevo, al menos por un tiempo, hasta que decidas si esta forma de participación sigue siendo la más valiosa y significativa para ti. Centrarte en las necesidades de otros, en buen equilibrio con las tuyas propias, es una forma muy eficaz de poner tu propia situación en un contexto apropiado.

Esperar en el Señor

Esperar es una de las cosas más difíciles para mí. Pero Dios nos dice una y otra vez que esperemos en él. «Pero los que confían en el Señor renovarán sus fuerzas» (Is. 40:31). Dios provee, pero según su horario y plan. Crecer juntos como marido y mujer ocupó bastante tiempo. No esperes deshilvanar el tapiz de tu vida de la noche a la mañana. Vivimos en una cultura que espera la gratificación casi instantánea; queremos tenerlo todo «ahora mismo». El proceso del luto no funciona de esa manera, tampoco en lo concerniente a las decisiones financieras importantes. Concédete el lujo del tiempo. Recuérdate a ti mismo que dedicar tiempo es en realidad una necesidad, no un lujo.

Pasa tiempo a solas, contigo mismo, y con Dios. Si tu tradición religiosa estimula el uso de directores espirituales, busca uno dispuesto a caminar contigo en este proceso. Participa en retiros espirituales para alejarte unos días de las presiones y del estrés. Aprende el arte de la meditación. Aparta un tiempo específico cada día para sentarte y pensar, meditar, o escuchar tus himnos y coros favoritos.

Ya sabes que no hay respuestas rápidas y fáciles. El proceso del luto toma tiempo y requiere mucha energía. Tu situación no va a cambiar de la noche a la mañana, pero cambiará. Dios no sólo provee soluciones, también te da las fuerzas mientras esperas y trabajas hacia esas soluciones.

9

¿Qué es «la otra cara del duelo»?
Completa el camino y sigue adelante

¿Recuerdas lo que es quedar bloqueado en un atasco de tráfico? Los minutos parecen horas. Tu auto avanza a paso de tortuga. Otros conductores desahogan su frustración escapándose por el arcén. Los camioneros se demoran y ocasionan grandes paradas en el tráfico. ¡Serías feliz si pudieras atravesarlo! ¡Si tan sólo pudiera pasar al otro lado de este caos! Y por fin lo consigues. Logras superar los atascos y acelerar a lo largo de la autopista libre de obstáculos, dejando la frustración atrás a toda velocidad. Has llegado al otro lado.

El luto tiene otra cara. Cada final contiene dentro de sí mismo las semillas de un nuevo comienzo. A lo largo de este libro hemos adoptado la posición de que el duelo es una condición temporal que puede resolverse. El luto no tiene por qué mantenerte atrapado; puedes moverte y superarlo. Sin embargo, también hemos sostenido la posición de que tú debes participar activamente en ese moverte a través del luto. No puedes pararte en el arcén y esperar a que el tráfico desaparezca. Si quieres que tenga lugar la sanidad, tienes que hacerte cargo y empezar conscientemente a edificar una nueva vida para ti. Esa nueva vida será sin duda diferente a la de antes de la muerte de tu cónyuge. Pero diferente no significa mala. Confiamos que a medida que lees y repasas este libro, llegues al momento en que este capítulo te lleva a seguir adelante y conocer la otra cara del dolor.

La psicóloga dice

Sueño con los días pasados,
Cuando la vida era bella,
Cuando conocí la felicidad.
Que renazcan los recuerdos...

Debo pensar en una nueva vida
Y no darme por vencido,
Cuando llega el amanecer.
Esta noche también será un recuerdo...
«Recuerdos» de la comedia musical *Cats*

Recuerdos y seguir adelante

Recuerdos. Bellos y maravillosos recuerdos. Permanecerán, pero el pasado real no. Seguir adelante y empezar un nuevo capítulo en tu vida no significa que tengas que olvidar a la persona que amaste. Tu cónyuge fue una parte de tu vida, como lo fueron tu niñez, tu adolescencia y tu juventud, que ahora forman parte de tus recuerdos. Pero tú no te quedaste allí; seguiste adelante con tu vida. La vida pasada con tu cónyuge te ayudó a definir quién y qué eras, y esos recuerdos no van a desaparecer. Pero esos recuerdos no te pueden ayudar a vivir en el presente. Tampoco permitas que eclipsen las alegrías que te pueden venir ahora. Puedes retener esas partes de ti mismo que crecieron y se desarrollaron con tu difunto cónyuge, y acto seguido puedes cerrar ese capítulo matrimonial de tu vida para empezar otro nuevo e interesante.

Nadie puede avanzar mientras sigue aferrado a algo que lo detiene. Eso significa que para empezar a dar pasos hacia adelante tienes que abrir esa mano que se aferra al pasado. Seguir adelante puede resultar bien difícil si continúas tratando de mantener un pie plantado en el pasado y el otro intentando moverse hacia el futuro. El proceso de soltar el pasado y seguir adelante significa que por fin el presente no se presenta ante ti oscuro y triste. Has llegado a un importante punto de tu proceso en que te das cuenta de que puedes proseguir solo, como persona individual. Y sabrás cuánto más has avanzado cuando empieces a pensar en lo que tienes por delante para hacer, en lugar de llorar por algo del pasado que no puedes cambiar. El proceso del luto es una forma de sanar tu corazón quebrantado para sentirte completo de nuevo. Si todavía no has llegado a ese punto, no te des por vencido. Ese momento llegará si continúas trabajando en tu duelo y superas los obstáculos necesarios.

Te encuentras listo para seguir adelante cuando reconoces que ha desaparecido el dolor intenso y puedes empezar a cerrar ese capítulo anterior de tu vida. Usamos a propósito la palabra *capítulo* para representar la relación y período de tiempo significativo que tuviste con tu difunto cónyuge. Pero a semejanza del primer capítulo de un trabajo literario importante, esa porción ya se ha completado, está terminada. Tu propia vida continúa, estás empezando un nuevo capítulo. Eso significa que te detienes y reconoces que has trabajado y pasado por el dolor de perder a tu cónyuge. ¡Ese es un logro muy importante! Concédete el mérito de haber enfrentado la situación y haber lidiado con las difíciles realidades del proceso del luto. Menciona y resume los hitos importantes que has pasado durante el proceso de tu duelo. Relaciona la experiencia de tu pérdida con tu nuevo contexto. Escribe la historia de tu pena y dolor. Haz algo especial para simbolizar el cierre de este volumen de tu vida y la apertura de uno nuevo. Reconoce que puede haber una mezcla de emoción y temor; es natural tener algo de ansiedad ante el comienzo de una nueva fase en tu vida. Pero cuentas con la oportunidad de empezar de nuevo, de seguir adelante.

Y aprendes a construir sobre el suelo
Del hoy tus caminos, porque el ayer
Es demasiado incierto. Y el mañana
Tiende a caer a mitad del vuelo

Que puedes soportarlo, aprendes...
Que eres fuerte en verdad,
Tienes tu propia dignidad,
Y aprendes y aprendes...
Con cada adiós aprendes.[1]

Sugerencias prácticas

1. Evalúa tu nivel emocional. ¿Estás todavía viviendo con el dolor por la pérdida de tu cónyuge? Si todavía experimentas olas de angustia (llorando y sintiéndote deprimido), espera antes de seguir a la siguiente fase de tu vida. Vuelve a leer los capítulos anteriores para repasar las sugerencias prácticas que te sean aplicables. Sería injusto para ti y para tu posible compañera o compañero dejar ese volumen sin terminar y seguir adelante. Contentarte con un trabajo parcial e incompleto tanto en tu primer capítulo como en el nuevo le quitará valor a ambos.

2. Asegúrate de que has desarrollado una forma apropiada de conservar recuerdos agradables en tu mente por medio de álbumes de fotos, diarios de experiencias o colecciones de recuerdos que pueden destacar tu anterior matrimonio.

3. Si crees que te encuentras en condiciones de cerrar este volumen sobre tu anterior matrimonio, haz una pausa y date reconocimiento por el buen y duro trabajo que has hecho y por todos los obstáculos que has sobrepasado. Celebra tus logros, y vuelve a leer tu diario. Resúmelo escribiendo una página que refleje tu proceso del luto y explique y simbolice tu clausura de ese capítulo de tu vida.
4. Haz un viaje corto de un día o un fin de semana para simbolizar de forma concreta el final del proceso del luto y el comienzo de una nueva fase en tu vida.

¿Te queda equipaje antiguo?

Cuando te encuentres listo para seguir adelante, pregúntate si todavía llevas contigo alguna pieza de equipaje antiguo. Si eres consciente de que todavía quedan algunos asuntos por resolver, ahora es un momento oportuno para tratar de resolverlos. Al hablar de asuntos pendientes nos referimos a posibles asuntos no reconciliados en la relación, o algo que no te habías parado a considerar, o alguna situación de fallecimiento o partida con la que no habías lidiado. Al comenzar una nueva fase en tu vida, no te conviene ir cargado con asuntos innecesarios del pasado.

¿Cómo sabes que ya has terminado con el proceso del luto? Sabrás que has terminado con la mayor parte de ese proceso cuando:

- Los pensamientos sobre tu difunto cónyuge ya no son deprimentes o dolorosos, sino que sólo permanece una dulce tristeza relacionada con recuerdos mayormente agradables y hermosos.
- Vuelves a gozar de la vida y puedes celebrar las fiestas y otros sucesos importantes con deseo y expectación por hacer cosas nuevas y planear para el futuro.
- Tu nivel de funcionamiento en todas las áreas es al menos comparable al que tenías antes del fallecimiento de tu cónyuge.
- Has desarrollado alguna forma de explicación racional para la muerte de tu pareja, aunque sea tan sencilla como que «la muerte es parte de la vida», en vez de continuar preguntándote: «¿Por qué a mí? »
- Estás en condiciones de hacer frente a otras pérdidas (esto es, tener suficiente energía como para enfrentarte a circunstancias difíciles, como funerales), y eres capaz de ayudar a otros en sus situaciones difíciles.

Si crees que no has superado tu proceso de luto, no te desesperes. Piensa en lo que puedes necesitar para evaluarlo y seguir trabajando en ello. Quizá debas volver a leer las secciones de este libro que tienen que ver con los asuntos que todavía tienes pendientes, repetir las mismas sugerencias prácticas, hablar con otras personas viudas, o pensar en la posibilidad de entrevistarte con un terapeuta especializado en esta forma de asesoramiento.

Sugerencias prácticas

1. Evalúa una vez más algunos aspectos específicos de la relación con tu difunto cónyuge. ¿Estás todavía cargando con algún viejo equipaje o recordando situaciones acerca de las cuales prefieres no pensar? Si sigues reprimiéndolo en tu mente acabará dañándote. Dedica tiempo a pensar en esa dificultad o problema y busca la forma de superarlo. Si tu cónyuge estuviera vivo, sin duda habrías encontrado alguna forma de solucionarlo. Así, pues, hazlo ahora por ti mismo y por tu bien.

2. Además de aclarar tus pensamientos, limpia también tu espacio vital del viejo equipaje. No permitas que se formen capillas en honor del pasado. Sé cuidadoso en no idealizar a tu cónyuge. Era un ser humano como el resto de nosotros y también cometió errores, no lo coloques en un pedestal. A veces uno se aferra a ciertos objetos personales del difunto y los exhibe de forma tal que no da pie a pensar en una superación del proceso del luto. Resulta difícil vivir con equipaje viejo, quizá es doloroso deshacerte de ello, pero no es nada sano aferrarse al pasado.

Anillos de boda y fotografías

Al ir avanzando en el nuevo capítulo de tu vida, tendrás que pensar si vas a seguir llevando tu anillo de boda o qué vas a hacer con las fotografías de tu cónyuge que conserves en tu hogar. Estos dos objetos son símbolos muy poderosos de un tiempo ya pasado, una señal valiosa de los recuerdos de tu anterior matrimonio y del capítulo precedente de tu vida.

No hay un momento preciso y oportuno para quitarse el anillo de boda, pero si estás planeando seguir adelante hacia una nueva fase en tu vida, tendrás que decidir si quieres ponerte el anillo en otro dedo o quitártelo definitivamente. En nuestra cultura, llevar el anillo en el dedo anular de la mano izquierda representa que la persona está casada o comprometida. Cuando una persona no lleva un anillo en ese dedo, los demás piensan que no está casada o no está comprometida en una relación seria. El dedo sin anillo no significa necesariamente que andas buscando otra relación, simplemente quiere decir que no estás casado. Y la realidad para ti como viudo es que ahora ya no estás casado. Seguro que tienes recuerdos maravillosos de esa etapa de tu vida, pero el hecho incuestionable es que ya no cuentas con esa relación. Ayudarte a ti mismo a enfrentar esa realidad y verte como alguien que ahora vive solo es un logro saludable.

Quizá hace ya unos meses que te quitaste el anillo de boda. Cuando mi esposo murió, yo sabía que no podría llevar más tiempo mi anillo de enlace, porque él ya no estaba presente para continuar nuestra relación. De alguna forma, me parecía que llevar el anillo significaba que no había aceptado la realidad de su muerte. De modo que me lo quité, y encargué que los diamantes de nuestros anillos los montaran juntos en uno nuevo. Durante el tiempo anterior a mis segundas nupcias llevé el nuevo en mi mano derecha. Pasarlo de la mano izquierda a la derecha no significaba en ningún sentido que andara buscando otra relación. Por el contrario, lo que quería decir es que había enfrentado la realidad de que ya no estaba casada. Los diamantes montados en mi nuevo anillo eran otra forma de simbolizar aquel capítulo tan especial y valioso. Tienes a tu disposición varias opciones al decidir lo que quieres hacer con tu anillo de boda. Además de rehacer los anillos, puedes encargar montar la piedra en alguna otra joya de tu propiedad, conservarlo hasta que se case alguno de tus hijos adultos, guardarlo para que en alguna ocasión apropiada se lo pases a uno de tus herederos, o conservarlo en un lugar seguro hasta que decidas lo que te gustaría hacer con él. Toma la decisión que más te guste y te convenga.

Exhibir fotos de tu difunto cónyuge alrededor de tu hogar es una forma tradicional de recordar las ocasiones felices y gozosas que disfrutaste con ese ser querido. Puede que tengas acumuladas muchas fotografías como pareja o como familia. Después de la muerte de Rick, encontré consuelo en tener sus fotos a mi alrededor, aunque me provocaban el llanto por lo mucho que le echaba de menos. Dos años y medio después de su muerte me di cuenta de la cantidad de fotos suyas que tenía a la vista en la casa, y reconocí también que ya no las necesitaba para consolarme. Mi vida se había redefinido. Tuve que decidir qué fotos quería todavía conservar a la vista y cuáles retirar. Tuve también que decidir dónde quería exponerlas. Quería tener espacio para las nuevas fotos que simbolizaban el gozo de seguir adelante y pasar al siguiente capítulo en mi vida.

Quizá tú te encuentras en el momento en que quieres evaluar tu apego a las fotos de tu esposo y determinar para qué te sirven ahora. A lo mejor llegas a convencerte de que las fotos pueden interferir con la siguiente fase de tu nueva vida solo. Retirarlas puede resulta doloroso. Los cambios son difíciles, pero también pueden ser renovadores y emocionantes.

Sugerencias prácticas

1. Si todavía no has tomado ninguna decisión en cuanto a quitarte el anillo de boda del dedo anular de la mano izquierda, puede que ahora sea un momento apropiado para hacerlo. El anillo de boda es un símbolo de tu matrimonio, de una unión y compromiso entre dos personas vivas. Ese compromiso terminó con la muerte de tu cónyuge. Retirar dicho símbolo es señal de una transición saludable hacia una nueva vida.
2. Evalúa cuántas fotos de tu difunto cónyuge quieres conservar a la vista en la casa. Considera cuáles quieres retirar, cuáles deseas conservar y dónde las quieres poner. Que las fotos que mantienes sean proporcionales a tu pasado, pensando sobre todo en abrir espacio para el futuro.

Piensa en quién eres

Pensar en quién eres tú ahora es un empeño bien interesante. Cómo respondes a las preguntas:

- ¿Quién soy yo por mí mismo?
- ¿Dónde estoy ahora mismo?
- ¿A dónde quiero llegar?
- ¿Qué quiero obtener de la vida?

Si conocías la respuesta a estas cuatro preguntas antes de que tu cónyuge falleciera, eso te ayudará bastante ahora. Pero, como bien sabes, tu vida es muy diferente ahora, de modo que estas preguntas hay que plantearlas de nuevo. Si nunca antes te las habías preguntado, esto va a ser para ti un proyecto retador, y posiblemente emocionante.

Si dejaste que tu anterior relación matrimonial te definiera en cuanto a quién eras y qué querías en la vida, te enfrentas ahora al reto de pensar en quién eres realmente ahora y qué quieres ser en la vida. Desde luego, podrás edificar sobre el pasado porque es una parte integral de tu ser. Tendrás que emprender una intensa introspección para averiguar qué te hará feliz, cuáles fueron tus sueños para tu vida antes y durante tu matrimonio, y qué sueños y proyectos puedes y quieres tener ahora. Posiblemente quieras reafirmar los valores de la vida que son importantes para ti. En algunos momentos quizá pienses que tu vida está siendo demolida en vez de reedificada, pero poco a poco empezarás a ir añadiendo piezas al proyecto e irá surgiendo tu nueva imagen.

Todo esto es un proceso para llegar a ser completamente «tú» de nuevo, para saber lo que quieres ser aparte de tu difunto cónyuge. De esta forma te encontrarás mucho mejor preparado para seguir adelante hacia tu futuro. Poco a poco descubrirás lo capaz que eres de aventurarte a intentar cosas nuevas por ti mismo, y te harás más independiente al explorar nuevas posibilidades. Anímate con palabras de reafirmación. Simplemente recuérdate (dilo incluso en voz alta): «Soy viudo. Estoy solo. Está bien vivir así. Soy una buena persona. Tengo un futuro».

El futuro es ahora; el tuyo te pertenece, a ti solo. Podrías haber decidido meramente existir y quedarte estancado en el proceso del luto, pero ¿por qué dedicar tu vida a pasarla en el luto y el dolor por algo que no puedes cambiar? Acepta el mensaje: «No mueras hasta que no estés muerto». La muerte del cónyuge es una forma bien dura de aprender algo acerca de la esencia de la vida, pero también puede enriquecerte el aprender algo acerca de la fragilidad y de la brevedad de la existencia. Puedes aprender de nuevo a hacer y sacar lo mejor del tiempo que Dios te concede en esta tierra. Dios te puso aquí por varios motivos, y esas razones no terminaron cuando tu cónyuge falleció. Busca cuáles son. Escribe una nueva estrofa en el poema de tu vida viviendo tu existencia de una forma plena y prosigue así en tu proceso hacia el otro lado del dolor.

Sugerencias prácticas

1. Procura ser capaz de expresar o escribir de cinco a diez de tus características o habilidades positivas. A la inversa, identifica tus debilidades o vulnerabilidades. Esfuérzate por conocerte tal como eres ahora de forma que puedas seguir creciendo más completamente y llegar a ser todo lo que puedes ser.
2. Identifica algunos intereses, actividades o aficiones que disfrutas o que te gustaría explorar para confirmar quién eres como individuo.

Permanecer solo o volverte a casar

En el capítulo 5 ya consideramos el tema de permanecer solo o volverse a casar, en las secciones «La satisfacción de las necesidades sexuales» y «Amistades y citas heterosexuales y segundas nupcias». Quizá veas conveniente repasar esas secciones cuando estés metido en la lectura de este capítulo.

Queremos decir con toda claridad que no hay una forma preferente o correcta para continuar con tu vida como cónyuge que ha quedado solo. Hay ventajas y desventajas tanto en permanecer solo como en volver a casarse. Si llevas viudo de uno a tres años y has superado la mayor parte del proceso del luto, puede que te encuentres ya en el otro lado disfrutando de la libertad y de la independencia. Ahora tienes la libertad de tomar tus propias decisiones sin tener que adaptarte o ponerte de acuerdo con nadie.

Quizá ya has comprobado que eres mucho más capaz y competente de lo que previamente habías pensado. Puede que hayas aceptado el reto de vivir solo y hayas llevado a cabo con éxito tareas y actividades por y para ti mismo. ¡Y te sientes muy bien! No tener que considerar para nada los deseos o necesidades de un cónyuge antes de realizar lo que tú te sientes inclinado a hacer es una experiencia liberadora. Ahora puedes hacer exactamente lo que quieres acerca de las finanzas o de como tratar con los hijos y la familia. Para algunos viudos esto puede ser muy emocionante y liberador.

Para otros, sin embargo, puede tener una faceta negativa. Tener que tomar todas las decisiones y cargar con todas las responsabilidades puede resultar a veces abrumador y solitario. Puede que prefieras contar con alguien en tu vida que te ayuda con estas tareas y decisiones. Tener alguien con quien hablar y compartir las pequeñas y grandes cosas puede ser confortante y estimulante.

¿No sería maravilloso si nuestras elecciones pudieran ser simplemente entre opciones completamente positivas o negativas? Eso haría que fuera mucho más fácil decidir. Podríamos tomar aquellas decisiones que tienen sólo resultados positivos. Desgraciadamente, las decisiones de los adultos suelen ir acompañadas tanto de elementos positivos como negativos, y cada uno de nosotros tiene que enfrentarse por sí solo a esas elecciones. Este es un asunto estrictamente individual basado en los pensamientos, sentimientos, deseos y necesidades de cada persona. Vas a tener que dedicarte a reflexionar, evaluar y orar intensamente a fin de determinar cuál es el mejor curso de acción para ti.

Sugerencia práctica

Evalúa tu nivel de satisfacción al quedarte solo, frente a las ventajas y desventajas de tener citas románticas y quizá empezar a encaminarte hacia unas segundas nupcias. Puede ser que mientras estás escribiendo las ventajas y desventajas de cada una de las dos decisiones y califiques su importancia (en una escala de 1 a 5, con el 5 como la más alta), veas con mayor claridad lo que es mejor para ti.

La decisión de permanecer solo

Como persona que ha perdido a su cónyuge, ahora te encuentras solo. Si no haces nada acerca de esa situación, vas a permanecer así. Y quizá te encuentres en un momento en el que no quieres combinar tu vida con la de otra persona en una relación emocional íntima y física. Te basta con estar casado una vez. Puede que tu matrimonio fuera una experiencia muy positiva, y ahora sencillamente no quieres empezar de nuevo. Tal vez fue un buen matrimonio, pero estás cansado de los cuidados y arreglos que conlleva una buena relación matrimonial, y ahora no quieres aceptar los riegos implícitos en comprometerse de nuevo en otra relación íntima. Por otro lado, quizá tu anterior matrimonio no fue una experiencia feliz y no quieres repetirlo. Tal vez estás quemado y agotado, y lo que ahora quieres es centrarte en tu propia vida.

No todos los viudos o viudas quieren casarse. En realidad, muchos nunca se casan, especialmente las mujeres. Algunas no se vuelven a casar por preferencia personal. Otras no lo hacen porque no hay suficientes hombres disponibles para una nueva relación. Puede que algunas personas viudas no quieran aprender a vivir con otra persona, y quizá prefieran tener unas pocas (incluso una sola) amistades íntimas que no terminen en matrimonio.

Afortunadamente, el siglo XXI es un tiempo que ofrece otras posibilidades si decides que quieres permanecer solo. Quizá lo que quieras es disfrutar de tu independencia y movilidad. O vivir solo puede ser una decisión temporal, dejando abierta la posibilidad de que más adelante, si encuentras la persona apropiada, te animarías a volver a casarte. Se supone que nuestra sociedad ha progresado hasta el punto de honrar las decisiones individuales. La decisión de volver a casarse o de permanecer solo es estrictamente personal. Las presiones o expectativas sociales no debieran jugar ningún papel en el proceso de tu toma de decisiones.

Sugerencias prácticas

1. Reafírmate como persona sola. Tu decisión de permanecer (al menos por ahora) solo es una decisión buena. Haz una lista de las cosas que deseas hacer para crecer y desarrollarte, y piensa en formas específicas por medio de las cuales puedes lograrlo.

2. Aprecia las ventajas de estar solo y celébralas. Evalúa la clase de relaciones que tienes de forma que tus necesidades personales queden satisfechas aun en el caso de que decidas no involucrarte en una relación íntima y exclusiva. Asegúrate de tener oportunidades de entablar amistades que enriquezcan tu vida y alivien tu soledad. Tendrás que decidir el número apropiado de amistades y relaciones que mejor te vayan.

¿Es de verdad una elección el volverse a casar?

Puede que algunos viudos quieran volver a casarse pero no encuentran la persona con la que se sentirían cómodos y compatibles. Esto puede terminar siendo muy frustrante y difícil. Saber que deseas disfrutar de una relación íntima con alguien, pero es duro no encontrar la manera de satisfacer ese deseo. No hay mucho que puedas hacer en una situación como esa.

Lo mejor y más conveniente es seguir adelante con tus propios intereses y metas. Céntrate en ser tú mismo y en hacer las cosas que te gustan. Haciendo eso, puedes terminar encontrando a alguien que comparta esos intereses y metas. Si no es así, piensa que todavía estás disfrutando de tu vida en su mayor parte. Probablemente a estas alturas ya has descubierto que Dios no siempre trabaja según nuestro sentido del tiempo. Aliéntate con la verdad de que Dios tiene nuestro futuro en sus manos, y al final él hará que todo obre para bien en tu vida, pero conforme a su mejor conocimiento y voluntad, no necesariamente según tu plan y agenda. Confía en Dios y vive en la seguridad de que tendrá cuidado de ti y estará ahí contigo aunque tú no sepas exactamente cómo hará las cosas. Mañana puede ser ese día en que encuentres la persona especial que puede hacer que tu vida sea aun mejor.

Sugerencias prácticas

1. Recuerda que la posibilidad de volverte a casar de una forma saludable y conveniente es algo bastante incierto. El volverse a casar depende de encontrar la persona apropiada para salir en citas románticas. Eso puede suceder, pero nunca sabes cuándo y dónde. Ten la seguridad de que Dios conoce con exactitud qué ocurrirá, y confía en su habilidad para traer alguien a tu vida en el momento oportuno.
2. Optar por mantener la mente abierta en cuanto a la posibilidad de encontrar un compañero o compañera es una decisión importante. Confía en tu capacidad de llevar a cabo una autoevaluación y determinar lo que es mejor y más conveniente para tu personalidad y necesidades. Aprende a ser paciente al tiempo que sigues viviendo plenamente tu vida.

Qué tener en cuenta en lo referente a unas segundas nupcias

Casarse por segunda vez es por lo general bastante más complicado que hacerlo por primera vez. Piensa en tu primera boda. Probablemente no tenías hijos. También es lo más probable que contases con pocos recursos financieros, inversiones o propiedades, no había suegros ni demás familia del anterior cónyuge, no tenías establecidas pautas sociales de adultos, y lo más seguro es que tampoco contases con una carrera ya enraizada en años de servicio. Probablemente eras bastante joven y empezaste con pocas pautas de comportamiento acumuladas y pocas posesiones materiales. Cabe pensar que la vida sería muy sencilla y emocionante, con pocos obstáculos. Esa es tradicionalmente la experiencia típica para una primera boda. Ahora has acumulado múltiples factores y asuntos a tener en cuenta que antes no existían.

Ahora que has experimentado por un tiempo la viudez y que posiblemente estás pensando en relaciones y segundas nupcias, considera por qué quieres volver a casarte y examina si hay razones saludables para hacerlo. Algunas de las razones que las personas viudas dan para entrar en un nuevo matrimonio es amor, seguridad, compañía, dinero y sexo. Recuerda que volver a casarse no significa reemplazar. Cuando una persona se vuelve a casar impulsivamente o poco después de la muerte de su cónyuge, lo hace a menudo para contrarrestar la soledad, la frustración sexual o la inseguridad. Estas razones impulsivas son psicológicamente poco saludables porque están basadas en necesidades intensas, pero son básicamente reactivas y temporales. Las investigaciones muestran que más de la mitad de las segundas nupcias realizadas en los dos primeros años de viudez terminan en divorcio.[2] Muchas de esas disoluciones suceden porque lo que estaban haciendo las personas era reaccionar a sus temores y necesidades, en lugar de decidir mejorar su vida como corresponde. Es muy importante estar personalmente bien fundamentado y sentirse cómodo con uno mismo en tanto que persona sola antes de empezar a pensar en un futuro cónyuge.

Algunas razones saludables para considerar un nuevo matrimonio son, por ejemplo, que a ambos les gusta estar juntos, el tiempo que pasan juntos está lleno de alegría y es una compañía muy agradable, y tienen en común una serie de intereses y valores. Otras razones son que sintonizan en su ritmo y forma de vida, que sus deseos y expectativas físicas y sexuales están sincronizadas, y que disfrutan compartiendo tiempo y espacio el uno con el otro. Esa persona en realidad no te completa, porque tú ya eres en ti mismo una persona completa, pero sí te complementa y eleva en una manera tal que ambos encuentran unidad incluso dentro de su propia individualidad. Estar con esa nueva persona es como pedir en un restaurante un plato combinado de filete y langosta para la cena. Cada parte es completa como plato; sin embargo, la combinación de los dos crea una nueva experiencia de gusto.

Sugerencia práctica

Escribe tus razones para volver a casarte, y evalúalas sobre la base de si son saludables y resultan apropiadas para ti. Asegúrate de que las razones no involucran necesidad, sino más bien que esa persona va a hacer tu vida más especial.

Salir con alguien del sexo opuesto por segunda vez

Si el pensamiento de salir con otra persona ahora te parece que es adúltero o sacrílego, déjalo por un tiempo. Estar listo para salir es un factor sumamente importante, y sentirte desgarrado entre tu vida anterior y pensar en la posibilidad de un nuevo cónyuge, o sentirte culpable por salir con otra persona, son indicaciones de que debes terminar primero con tu proceso de luto antes de seguir adelante. Nuestro deseo de salir con otra persona puede también estar afectado por la edad. Parece ser que muchas personas que han enviudado a los setenta años después no están interesadas en volver a casarse. Los individuos en ese grupo humano pueden simplemente decidir mejorar su vida con buenas amistades de hombres y mujeres. Las mujeres tienden a sobrevivir a los hombres en esa edad, por lo que hay menos posibilidades de hombres disponibles a medida que se hacen mayores.

Para la mayoría de los adultos, salir de nuevo en citas románticas les parece algo extraño y de adolescentes. Para muchos viudos ya ha pasado algún tiempo desde que pasaron por ese proceso. Te puedes sentir torpe e inicialmente poco seguro. Debes saber que todo eso son experiencias normales.

Puede que eso de salir haya cambiado desde que tú lo hiciste por última vez. Por ejemplo, los hombres y las mujeres practican hoy una mayor igualdad. No des por supuesto que el hombre va a recoger a la mujer y que va a pagar todos los gastos. En realidad, como mujer, deberías ser sabia e ir en tu propio auto y encontrarte con tu acompañante en un lugar público las primeras veces, por razones de seguridad. En una relación que continúa, puede merecer la pena considerar turnos para quién pone y conduce el auto. Ahora es más común tener relaciones sexuales, de modo que tienes que reconocer que eso puede surgir. Considera e identifica cuidadosamente tus propios límites personales en cuanto a la actividad sexual antes de empezar a salir con otra persona. Examina tus valores y creencias y básate en ellos para establecer firmes directrices acerca de los límites que quieres establecer, para que no te sientas comprometido con lo que no quieres hacer. Es psicológicamente saludable no precipitarse a una relación física. No es bueno dejar que se desarrolle prematuramente el aspecto sexual de esa relación antes de que se formen lazos más profundos de amistad y se establezcan formas confiables de comunicación. Cuando el contacto físico precede al surgimiento del amor y del compromiso, resulta más difícil determinar el valor, la propiedad y la calidad de una relación.

Antes de empezar a salir, es muy conveniente considerar con seriedad lo que tú de verdad buscas en un posible cónyuge. Como ya estuviste casado, probablemente conoces bien las cosas que son importantes o esenciales para ti en un compañero de matrimonio. Si estás saliendo con la intención de desarrollar un compromiso de relaciones a largo plazo, asegúrate de que has dedicado tiempo a desarrollar una descripción clara de lo que quieres o no quieres en un posible cónyuge. Es muy buena idea ponerlo por escrito. Algunas de las varias categorías a considerar a la hora de decidir salir con otro hombre o mujer son:

- El historial de relaciones anteriores de la persona.
- Su historial educativo y laboral.
- Su trabajo y posición actuales.
- Localización geográfica: esto es, dónde vive.
- Creencias religiosas y preferencias en cuanto a iglesia.
- Situación y prácticas financieras.
- Valores de estilo de vida, incluido el uso de alcohol y drogas.
- Historial médico.
- Sus gustos y hábitos recreativos.
- Su estilo de relaciones con amigos.
- Sistema familiar, incluyendo sus relaciones con los hijos, con otros parientes y con familiares de su anterior cónyuge.
- Su nivel personal de autoestima.
- Sus creencias en cuanto a igualdad y reciprocidad en una relación.
- Su habilidad para comunicarse, negociar y resolver conflictos.

Puedes conocer o averiguar algunos de estos factores desde el principio, quizá incluso antes de aceptar salir con esa persona. Si tú ya sabes, según tu propio criterio, que no podría desarrollarse una relación conyugal saludable, no vayas a la primera cita. Procura controlar el proceso.

No tienes que volver a casarte, pero si decides que eso es lo que quieres, aborda el asunto deliberadamente. Empieza a informarte lo más pronto posible, dentro de las primeras veces que sales con esa persona, y sé muy consciente de cómo satisface o no satisface tus expectativas y criterios. Si surge algo que va seriamente en contra de tus valores básicos, creencias y filosofía de la vida, actúa en cuanto seas consciente de ello y termina con la relación. Evita decirte a ti mismo: «Sólo estamos saliendo juntos; no me voy a casar con esta persona». Demasiado a menudo los viudos están tan hambrientos de atención y de la compañía de otros que pueden minimizar su compromiso con sus propios criterios.

Este es el momento de ser todo lo realista y objetivo que puedas. Recuerda que la vida seguirá adelante; aparecerán otras personas con las que salir, y vincularte con alguien que no coincide bien con tus intereses y normas acaba resultando mucho más complicado y difícil que quedarse solo. Hay muchas personas saludables por ahí, pero también hay otras muchas que han tenido múltiples matrimonios problemáticos, personas que necesitan que las cuiden, que están casadas pero insatisfechas con su relación presente, y otras adictas al alcohol y las drogas. No tenemos la intención de asustarte acerca de este proceso, pero te ayudará bastante recordar que salir con otros en una edad madura es diferente de cuando tenías tus primeras citas románticas.

La mejor manera de saber si la persona con la que estás saliendo es una elección conveniente es cultivar la relación con ella al menos un año antes del compromiso. Obsérvala frecuentemente y en toda circunstancia posible, no sólo cuando los dos estén bien descansados y listos para salir juntos. Observa a él o ella también en las condiciones normales de la vida diaria. El amor crece; los caprichos mueren. Si a lo largo del tiempo tu experiencia acumulada es positiva y ambos se sienten contentos el uno con el otro y se cuidan mutuamente, esa persona puede ser una prometedora posibilidad para un casamiento sano y viable.

Comprometerte con otra persona puede ser un pensamiento que te asuste, especialmente si estás considerando seriamente el matrimonio. Las palabras de C. S. Lewis parecen apropiadas y oportunas:

> Amar es ser vulnerable. Ama algo, y tu corazón quedará ciertamente retorcido y posiblemente quebrantado. Si quieres asegurarte de conservarlo intacto, no entregues el corazón a nadie, ni siquiera a un animal. Envuélvelo cuidadosamente con pasatiempos y pequeños lujos; evita todos los enredos; enciérralo seguro en el ataúd de tu egoísmo... Nunca será quebrantado; se hará irrompible, impenetrable, irredimible... El único lugar fuera del cielo donde puedes estar perfectamente seguro de los peligros y perturbaciones del amor es en el infierno.[3]

Esto no quiere decir que debas correr riesgos innecesarios. Como ya hemos comentado, es importante ser cuidadoso y precavido. Pero todo nuevo paso siempre involucra algunos riesgos. Correr el riesgo es lo que nos lleva a salir de nuestro círculo de protección y crecer, pero procura que cada intento sea sabio y prudente. Acepta la responsabilidad, porque es tu futuro.

Sugerencias prácticas

1. Decide con antelación sobre ciertos principios que quieras aplicar cuando salgas con alguien en lo referente a factores de seguridad, pago de las actividades y límites de contacto físico o sexual.
2. Antes de empezar a salir con otras personas identifica las características y criterios que debiera satisfacer un posible cónyuge.
3. A fin de mantener la objetividad en la evaluación de una relación, ten alguna idea de la frecuencia con que quieres salir durante una semana o mes con esa persona. Puede que también quieras hacerlo con el fin de estar

disponible para tus otras amistades o para dejar la puerta abierta a otras posibles citas y oportunidades. Ten cierta precaución al salir con otras personas, confía en tus instintos y sentimientos, y evalúa la relación durante un largo período de tiempo. Escribe en tu diario acerca de tus experiencias al tiempo que disfrutas de esas citas. Esto te ayudará bastante a identificar pautas de conducta y evaluar componentes positivos y negativos.

Las complejidades de volverse a casar

Un segundo matrimonio es siempre más complejo que el primero. Aparecen asuntos antes inexistentes sobre los que hay que hablar y tomar decisiones. Todo eso puede crear algo de ansiedad y temor combinado con la alegría y el gozo de un nuevo comienzo. Está claro que no eres la misma persona que en tu primera boda. Lo más probable es que ahora tengas propiedades, una vida financiera más compleja, quizás hijos, y otras relaciones importantes. En consecuencia, procura clarificar con tu futuro cónyuge en qué áreas quieres mantener una cierta separación y en qué otras van a funcionar conjuntamente.

Esos arreglos previos son sumamente importantes para evitar serios problemas en el futuro. Uno de los beneficios principales de estos arreglos prenupciales es que tanto tu futuro cónyuge como tú ponen en conocimiento del otro su situación financiera, propiedades, bienes, deudas e inversiones. En cualquier nuevo matrimonio, el dinero tiende a estar a la cabeza de la lista de asuntos que crean dificultades. En un segundo matrimonio, el dinero puede ser un asunto todavía más importante porque han acumulado la mayor parte de sus bienes antes de que se formara esta nueva relación. Te conviene pensar muy seriamente en hacer testamento y otros documentos necesarios si es que ya no lo has hecho. Desde luego deberías hacerlo si tienes hijos de tu primer matrimonio. Sin duda querrás asegurar que, en caso de que fallezcas, los bienes acumulados durante tu primer matrimonio queden protegidos para los herederos legítimos de aquel matrimonio, en vez de que pasen a tu segundo cónyuge o a su familia.

Conversen ampliamente sobre cómo van a manejar sus actuales ingresos cuando estén casados, quién va administrar, pagar las facturas, hacer las compras, etc. La elaboración de un presupuesto que muestre los ingresos y gastos previstos de ambos puede ayudar mucho a crear un clima de seguridad. Puede ser también de gran ayuda decidir juntos dónde van a vivir y cómo se va a llevar todo lo relacionado con la casa. Si no van a adquirir una nueva residencia, sino ocupar uno de los hogares disponibles, tienen que considerarlo cuidadosamente. Poner el hogar donde van a vivir a nombre de los dos puede crear confusión y ser injusto. No tengas ningún temor de hablar sobre estos asuntos y defender tus derechos. Esto es especialmente importante si el nivel de ingresos o bienes difiere significativamente entre los dos.

Tú ya has experimentado un suceso bien doloroso en tu propia vida. ¿Qué va a pasar si a los pocos meses de la boda tu nuevo cónyuge muere y la situación financiera no estaba claramente arreglada? La familia de tu nuevo cónyuge puede tener una ventaja indebida en cuanto a la herencia dependiendo de cómo quedaran arregladas las cosas. Asegúrate de que, independientemente de lo que les pueda suceder a cualquiera de los dos, ambos tengan arreglos satisfactorios mutuamente acordados.

Volverse a casar tiene sin duda su connotación de amor y romance. Pero a diferencia del primer matrimonio en la juventud, volverse a casar hacia la mitad de la vida o después, es de alguna manera como la unión de dos grandes empresas. Sé sabio y prudente en lo que estás haciendo.

Los hijos constituyen otra consideración importante y pueden crear serias complicaciones en un segundo matrimonio. Si cualquiera de ustedes tiene hijos pequeños o adolescentes en el hogar, los dos juntos van a tener que decidir quién será el principal responsable de su disciplina, qué ocurre si uno de los padres no está en la casa y cuáles serían las consecuencias del mal comportamiento. También deberías tratar todo el asunto de las implicaciones económicas de los hijos, como quién pagará por sus ropas, actividades, lecciones, asignaciones, escuela, etc. Esto puede depender hasta cierto punto de quién obtiene los ingresos, la cantidad que se gana y de quién son los hijos. Con hijos en la universidad te enfrentas a los gastos de matrículas, libros, préstamos para estudios, etc. Si alguno de los dos tiene nietos, puede que quieras conversar sobre qué nivel de compromiso vas a tener en los gastos o cuidados que necesiten los nietos. Te puede resultar incómodo conversar sobre estos asuntos, pero son muy importantes y no se pueden eludir. Hablen sobre ellos amplia y completamente hasta que hayan llegado a algún acuerdo sobre cómo manejar estas responsabilidades de manera que los dos se sientan cómodos y satisfechos.

Puede que a los hijos adultos les resulte más difícil que a los jóvenes adaptarse al nuevo matrimonio de sus padres, por varias razones:

- Se pueden sentir preocupados acerca de las finanzas de los padres y del efecto que todo ello puede tener más tarde sobre la herencia.
- Pueden estar preocupados acerca de su lugar de importancia en la vida del padre vivo ahora que alguien ha ocupado el lugar de su difunto padre o madre.
- Pueden sentir que es una deslealtad del padre o madre vivo reemplazar a su difunto papá o mamá.
- Se pueden sentir preocupados por la seguridad emocional de su progenitor.
- No han experimentado esta nueva relación cuando se estaba desarrollando porque ellos ya no estaban viviendo a diario con sus padres.

Introducir un padrastro o madrastra en la familia invade definitivamente el espacio de los hijos. Ellos no quieren perder a su padre o madre vivo, pero, en su proceso de ir aceptando a la nueva persona, van a tener que lidiar con sentimientos de traición al recuerdo del padre o madre fallecido. Esto implica desde luego un cambio para los hijos de cualquier edad, de manera que debes dedicarles tiempo tanto tú solo como en compañía de tu futuro cónyuge. Asegúrales verbalmente que van a seguir siendo muy importantes para ti y ayúdales a entender cómo tu nuevo cónyuge y tú van a conducir las cosas en el nuevo matrimonio. Los antiguos ritos y tradiciones familiares tendrán que ser revisados y adaptados a la nueva combinación de vidas. Conversa con tus hijos acerca de tus planes de matrimonio e involúcralos en la boda. Trata de ayudarlos a que vean los beneficios de esta nueva relación y cómo su vida va a mejorar dentro de esta nueva formación familiar.

En tu calidad de padrastro o madrastra nunca reemplazarás al padre o madre biológico de los hijos de tu nueva pareja. Es de esperar que esa nunca sea tu meta. Pero no quiere decir que no vayas a poder tener una relación importante y significativa con ellos. Sé directo, sincero y sensible a sus necesidades y deseos, y muestra interés en ellos hablándoles y haciendo cosas juntos.

Ya hemos considerado cómo las finanzas y los hijos pueden contribuir a dificultades potenciales en el nuevo matrimonio. La tercera área de conflictos potenciales es su relación sexual. Una de las principales razones por la que esta área se puede convertir en un problema es por la falta de comunicación en lo concerniente a las necesidades y deseos sexuales de cada uno de ustedes. Debido a que ya has estado casado antes y has experimentado la intimidad sexual, probablemente tienes una mejor idea de quién eres sexualmente y cuáles son tus deseos. Es sabio conversar sobre estas cuestiones y decidir cómo van a incorporar las semejanzas y diferencias en su nueva relación marital.

Quizá al hablar sobre la sexualidad en tu nueva relación puedes reconocer algunas debilidades o carencias que pudiste haber tenido en tu primer matrimonio. Trata de transformar estos inconvenientes de tu pasado en una mejor comprensión y funcionamiento en este aspecto de la vida e incorporarlo a la nueva relación. Se supone que has crecido por medio de tu primer matrimonio; tienes ahora más conocimiento y experiencia, y los puedes usar para esta segunda oportunidad. Has recibido una nueva oportunidad no sólo para empezar un nuevo capítulo en tu vida, sino también para descubrir más acerca de tu faceta física y sexual.

Sugerencias prácticas

1. Asegúrate de que tu futuro cónyuge y tú se hayan explicado el uno al otro con toda claridad todas las cuestiones financieras de su vida, incluyendo todas las propiedades, bienes, deudas, ingresos, planes de ahorro y jubilación e inversiones. Sugerimos que no se casen sin haber hecho esto juntos.

2. Elaboren juntos un plan financiero y un presupuesto para que ambos conozcan concretamente cómo van los dos a compartir y manejar la administración del dinero. Determinen también cómo van a dividir las responsabilidades administrativas del hogar así como las finanzas de los pagos y de la propiedad.

3. Determinen cuál va a ser el comportamiento con sus respectivos hijos en lo que se refiere a disciplina, administración del dinero, toma de decisiones, etc. Recomendamos enfáticamente que se sienten juntos y lo pongan por escrito.

4. Evalúa el nivel de igualdad y de trabajo en equipo dentro de tu posible matrimonio. ¿Te encuentras cómodo con el equilibrio propuesto? ¿Sientes que eres valorado y que se presta la debida atención a tus opiniones y elecciones? Recomendamos que escriban cómo se van a tomar las decisiones cuando surjan diferencias de opinión.

5. Como pareja, hablen con sus hijos sobre sus pensamientos y sentimientos (y los de ustedes mismos) acerca de los cambios que vienen. Aclaren cómo van a cambiar las cosas y pregunten en qué sentidos le gustaría a cada uno de ellos ser incluido en la relación.

6. Asegúrate de que las áreas mencionadas arriba queden explicadas en detalle y de una forma agradable. Sugerimos que preparen un acuerdo prenupcial en consulta con un abogado.

7. Evalúa en qué área o áreas te diste cuenta de que hubo algo inadecuado en tu primer matrimonio. Convérsalo con tu futuro cónyuge para asegurar que no se repite en la nueva relación.

La otra cara del dolor

Al estar leyendo este último capítulo, cabe esperar que ya no te encuentres aturdido por la realidad de que estás viviendo una nueva vida sin la presencia de tu difunto cónyuge. ¿Recuerdas que después del fallecimiento de tu pareja pensabas que el mundo debería pararse o que nunca te sentirías capaz de unirte a un mundo que seguía moviéndose? Sin duda alguna estabas pasando por un período en el que estabas convencido de que nunca te recuperarías del dolor de tu luto. Pero ahora sabes que puedes seguir adelante. Confiamos que eso es lo que estás experimentando en este momento.

El luto ha sido superado cuando el terrible dolor de la pérdida ha desaparecido. Ya no sientes la tristeza intensa por el pasado y por lo que era. Tienes nueva esperanza en tu futuro, un nuevo capítulo, en la forma y dirección que tú prefieras escoger. ¡Qué maravilloso es sentirse sano! ¡Qué emocionante es estar al borde de un nuevo territorio, empezar a danzar con una música nueva y diferente! El ritmo será diferente, por supuesto, porque ya no puedes bailar con la antigua música. Tu vida ha cambiado. Lo viejo ha pasado y ahora lo tienes acumulado en tu mente y corazón en la forma de recuerdos cálidos y agradables. Lo nuevo ha llegado y puede ser muy bueno. Ponte a danzar, porque la nueva música ha empezado a sonar.

Sugerencias prácticas

1. Celebra la culminación de tu difícil y valioso proceso de luto. Míralo como una ocasión para regocijarte. Danza, porque el lamento ha terminado y estás empezando un nuevo capítulo.
2. Busca oportunidades para hablar a otros acerca de tu proceso de luto y de su positiva culminación. De esa forma tú puedes educar y cambiar algunos de los mitos y distorsiones que creen muchos que nunca habían pasado por una experiencia así.

El pastor dice

Convertiste mi lamento en danza;
me quitaste la ropa de luto
y me vestiste de fiesta,
para que te cante y te glorifique,
y no me quede callado.
¡Señor, mi Dios, siempre te daré gracias!

Salmo 30:11-12

Del lamento a la danza

Hace unos días, al despertarme encontré que el sol estaba eclipsado por las nubes y la niebla. Otro día triste. Cuando te encuentras sumergido en tu tristeza, te puede parecer que cada día es así. Aun cuando el sol esté de verdad luciendo, las espesas nubes del dolor y la niebla de la desesperación eclipsan cualquier luz que pueda asomar por alguna parte.

Sin embargo, hacia el mediodía las nubes empezaron a ceder. Al principio sólo se veía un pequeño claro aquí y allá. De repente, el sol apareció, las nubes se evaporaron y la temperatura subió. Por la tarde, las flores tempranas de la primavera, todavía empapadas por la humedad, relucían en la nueva luz del sol.

En la comedia musical *Annie*, el protagonista principal se jacta: «El sol volverá a aparecer mañana». No estamos hablando de un optimismo simplista o necio, una esperanza pasajera y sin base en que las cosas pueden ser mejores mañana. El cristiano sabe: «Que Dios dispone todas las cosas para el bien de quienes lo aman» (Ro. 8:28). Este «bien» que la Biblia promete no es algo que sólo ocurrirá en el cielo. Esto es algo que Dios puede hacer y hará por nosotros en esta vida. No tienes que morir tú mismo para reanudar tu vida.

Muy a menudo los que han enviudado centran su atención en pensar cómo será la vida para ellos en el cielo una vez que hayan muerto. Se imaginan que se reunirán con su cónyuge y disfrutarán de nuevo del compañerismo y la intimidad que tuvieron en esta tierra. Pero, mientras tanto, permiten que su vida quede estancada en el luto por el resto de su existencia, viviendo con emociones enmudecidas. Se convencen a sí mismos de que nunca volverán a ser felices, al menos no hasta que ellos también mueran y entren en el gozo eterno de Dios.

En realidad no hay cabida para esa actitud en la fe y vida cristianas. Por el contrario, Dios puede cambiar tu lamento en danza. Estamos absolutamente convencidos de que Dios puede sanar tus heridas en esta vida. Él puede darnos gracia para nuestro dolor y enseñarnos cómo vivir y amar de nuevo. Por supuesto, hay períodos de intensa pena, dolor y soledad. Pero el salmista dice: «Si por la noche hay llanto, por la mañana habrá gritos de alegría» (Sal. 30:5). Superar el duelo es un reto tremendo, pero Dios te puede dar el poder para lograrlo. El apóstol Pablo dijo: «Todo lo puedo en Cristo que me fortalece» (Fil. 4:13). Él te dará el poder para hacer lo que debes, y te fortalecerá de una manera tal que también te devolverá el gozo de la vida. Tu corazón puede danzar de nuevo.

Cabe esperar que te encuentres ya en un momento en el que estás listo para seguir adelante con tu vida. Aun si no estás todavía listo para danzar de nuevo, recuerda unas pocas cosas acerca de Dios y de su compasión para contigo:

1. *Dios está activo cada día de tu vida.* Al ir reflexionando en las meditaciones de este libro, recuerda que Dios siempre está cerca de ti. Su poder está siempre contigo; nunca te dejará ni te desamparará. Cuando necesites tener un recordatorio de esa verdad, lee Romanos 8 o Mateo 6:25-34, que es una parte del Sermón del Monte, donde Jesús nos recuerda que Dios se preocupa por nosotros y nos cuida a diario. A veces resulta difícil recordarlo o reconocerlo. Cuando tu cónyuge murió, tú seguramente te preguntabas si Dios de verdad se interesa y te cuida. ¿Tiene él de verdad la clase de compasión, amor y ternura de la que hablan los predicadores? ¿Es un ser lleno de fidelidad y gracia como dicen algunos himnos que cantamos? Pero, una y otra vez, la Biblia nos habla

de cómo los hijos de Dios sufren prueba tras prueba y en medio de ellas descubren que Dios realmente tiene el control... a diario.

2. *Dios tiene un buen propósito en mente.* El Antiguo Testamento usa una palabra especial para *paz.* Es el término *shalom.* Pero esa palabra significa mucho más que la mera ausencia de conflicto. *Shalom* significa plenitud, unidad, tranquilidad, armonía. *Shalom* es la perfecta relación de todo lo creado con Dios el Padre y Redentor. *Shalom* es lo que Adán y Eva experimentaron el uno con el otro con el mundo, y con Dios antes de la caída en el pecado. Volverá a haber *shalom* de forma perfecta cuando Cristo regrese, y «él les enjugará toda lágrima de los ojos. Ya no habrá muerte, ni llanto, ni lamento ni dolor, porque las primeras cosas han dejado de existir» (Ap. 21:4). *Shalom* es el escenario donde el «lobo vivirá con el cordero» y «jugará el niño de pecho junto a la cueva de la cobra... No harán daño ni estrago» (Is. 11:6-8). Este nivel total de *shalom* está reservado para la gloria final. Pero Dios también promete paz ahora. La bendición de Cristo es siempre: «La paz les dejo; mi paz les doy. Yo no se la doy a ustedes como la da el mundo. No se angustien ni se acobarden» (Jn. 14:27).

Sabes que estás pasando a la otra cara del dolor cuando empiezas a experimentar esa paz de nuevo, cuando tienes quietud de corazón, un sentido de contentamiento y descanso que no tenías durante tu proceso de luto. Recuerda que el Salmo 23 promete que tu paso por el valle de sombra de muerte te lleva a una vida en la que «la bondad y el amor de Dios me seguirán todos los días de mi vida» (Sal. 23:6). David no está hablando de la vida después de la muerte, no está hablando acerca del cielo. Está hablando de experimentar el amor y la bondad de Dios en esta vida todo el resto de nuestros días.

3. *Dios nos da lo bueno junto con lo malo.* Vivimos en un mundo caído. Cuando leas Romanos 8 presta especial atención a los versículos 22-25. Pablo recalca que «toda la creación gime» con dolor. Todos esperamos la redención, todos esperamos aquella plenitud, o *shalom,* que Dios prometió. Además de poner nuestra esperanza en Dios, tenemos que aceptar el hecho de que vivimos en un mundo imperfecto. La enfermedad, el dolor y la muerte son los símbolos de esa imperfección. Puedes pensar que esto suena a simple, pero uno de los obstáculos espirituales más grandes para aceptar el poder de Dios es nuestra propia suposición de que Dios hará las cosas perfectas en este mundo, aquí y ahora. Pero esa no es la manera en que Dios obra. Tú te vas a poner enfermo; la gente muere de cáncer, de tumores en el cerebro y de accidentes. Esa no es la manera en que Dios lo diseñó todo al principio, y esa no es la manera en que volverá a ser todo cuando Cristo regrese. Pero, mientras tanto, Dios dice que nos dará fortaleza y esperanza para vivir (y morir) felizmente bajo estas circunstancias. Y bajo esas circunstancias, Dios te proveerá de la fortaleza que necesitas.

Cristo Jesús nos presenta un cuadro claro del amor del Padre en la enseñanza que les dio a sus discípulos al explicarles el poder de la oración:

> ¿Quién de ustedes, si su hijo le pide pan, le da una piedra? ¿O si le pide un pescado, le da una serpiente? Pues si ustedes, aun siendo malos, saben dar cosas buenas a sus hijos, ¡cuánto más su Padre que está en los cielos dará cosas buenas a los que le pida!
>
> Mateo 7:9-11

No hay duda de que has pasado por un tiempo bien difícil. La muerte, con el subsiguiente dolor y luto, es una experiencia desgarradora, pero Dios está ahí contigo con su gracia y poder. Él te puede fortalecer en medio de tu dolor, y él te dará una nueva vida —una nueva oportunidad en la vida— aun antes de que te lleve a descansar en las mansiones eternas. Dios nos da lo bueno en medio de lo malo.

Nuevos comienzos

¿Sabes lo que realmente significa la palabra «sábado»? A menudo asociamos esta palabra con el domingo, un día de descanso y adoración. Pero el tema del sábado es mucho más rico en las Escrituras. Sábado en realidad significa «nuevos comienzos», y está integralmente relacionado con la idea de *shalom*, aquella perfecta armonía y plenitud que Dios promete.

El patrón bíblico del sábado es un ciclo de seis más uno. Seis días para trabajar, el séptimo para descansar. En el Antiguo Testamento, los israelitas trabajaban la tierra durante seis años, pero en el año séptimo la dejaban en barbecho (descanso). Y así, sorprendentemente, después de siete ciclos de siete años, Dios instruyó a Israel para que lo devolviera todo a dónde estaba cincuenta años antes. Todas las deudas tenían que ser canceladas. Los prisioneros tenían que ser liberados. Las tierras se devolvían a los antiguos propietarios familiares. La riqueza acumulada se distribuía. Empezaban de nuevo.

La Biblia nos da nuevos comienzos. En su sentido definitivo, por supuesto, el nuevo comienzo será los nuevos cielos y nueva tierra que Cristo inaugurará a su regreso. Mientras tanto, él también nos permite empezar de nuevo. Una de las cosas que más me costó descubrir fue que el proceso del luto es también un nuevo comienzo. Dios nos concede y confía una nueva oportunidad, y nosotros tenemos la responsabilidad y el privilegio de usar sabiamente este nuevo comienzo. No, nosotros no lo pedimos, y ciertamente no lo queríamos, pero nos llegó el nuevo comienzo.

En vez de simplemente intentar sacar lo mejor de una mala situación, Dios quiere que sigas adelante y reconozcas que, aun frente a la realidad de la muerte, él te está ofreciendo una buena situación. Cuentas verdaderamente con un nuevo comienzo. Tienes la oportunidad de reafirmar todo lo que fue bueno en el primer capítulo de tu vida, pero también gozas ahora de la oportunidad de rehacer muchas de las cosas que en este momento quieres hacer de otra manera. Puedes empezar de nuevo. Descubre un nuevo sentido de tu ser, un nuevo sentido de propósito, una relación más profunda con Dios, y quizá también una nueva e íntima relación con otra persona.

Con este nuevo comienzo, Dios también puede renovar tus emociones. A veces yo veía el proceso de duelo como una tarea. Incluso en nuestro libro, hablamos de asignaciones, de la tarea o proceso del luto, y de cosas que debemos hacer. Es importante prestar atención a estos asuntos, pero Dios también renueva nuestras emociones.

El duelo es una emoción extremadamente poderosa, que arranca de nosotros lágrimas, terror y dolor, pero Dios nos puede investir con emociones totalmente nuevas y positivas. El péndulo puede moverse al otro extremo. Lo que quiero decir es: no evites los extremos, aprende a vivir en los filos. Piensa en lo grande que puede haber sido tu pena, pues así de grande puede ser ahora tu gozo. A medida que el Espíritu de Cristo obra en ti, ese Espíritu produce fruto en tu vida. Ese fruto, mencionado por el apóstol en Gálatas 5:22-23, incluye tonos emocionales fuertes. Pablo nos dice que el Espíritu puede traernos, entre otras cosas, paz, gozo y amor. Sumérgete en el poder de Dios y también te sumergirás en emociones positivas y poderosas. Concédete la libertad de vivir de verdad y amar de nuevo. Si lo haces, has pasado a la otra cara del duelo y estás experimentando la nueva vida.

Empezamos este libro con un resumen poético del proceso de pasar a la otra cara del luto y del dolor. Te invitamos a que lo leas de nuevo.

Del lamento a la danza

Que dance en la presencia de Dios, dicen,
Pero el duelo paraliza mi corazón.

Que me deleite en la misericordia de Dios, insisten
Pero el dolor dejó sin paladar mi vida.

Mi compañera ha muerto.
Esta es mi noche oscura del alma.

Vienen los días, llegan los meses.
Torpe y pesada se renueva la mañana.

Grande es mi duelo; llora mi alma:
«¿Por qué a mí? ¿Por qué, oh Dios?»

«Tú no, hijo mío. Tú no.
Es tu amada quien ha muerto. Tú no.

Yo te di vida. Yo te di gozo.
Te lo puedo dar de nuevo».

Sábado.

Descansa ahora y vuelve a empezar.
El sol brilla con más fuerza, un poco más.
El dolor de la tumba es ya el poder de la gracia.

Paso a paso, Dios obra su milagro.
«Volverás a danzar, hijo mío, volverás».

Eres tú, Oh mi Dios, tú solo
Quien convierte mi lamento en danza.

R. De Vries.

NOTAS

Capítulo 1: ¿Por qué pasamos por el luto?

1. John Bowlby, *Attachment and Loss: Loss, Sadness, and Depression*, vol. 3 (Nueva York: Basic Books, 1980), 96-100. En español se puede encontrar *La pérdida afectiva*, Ediciones Paidós.

2. C. S. Lewis, *A Grief Observed* (Greenwich, Conn.: Seabury Press, 1963), 41. En español, *Una pena en observación*, traducida nada menos que por Carmen Martín Gaite, para Anagrama, Barcelona, 1994.

3. Thomas Holmes y Richard Rahe, «The Social Readjustment Ratings Scale», *The Journal of Psychosomatic Research* 2 (1967): 213-18. Localizable como «La Escala de Reajuste Social» en varios sitios de Internet, por ejemplo en www.teachhealth.com/spanish.html.

4. «Maud Muller», en *John Greenleaf Whittier's Poetry*, ed. Robert Penn Warren (Minneapolis: University of Minnesota Press, 1971), 93.

Capítulo 2: ¿Cómo vives el luto?

1. Lewis, *Grief Observed*, 7.

2. Se han llevado a cabo varios estudios excelentes sobre el duelo anticipado, también llamado luto previo. Véase Leon H. Levy, «Anticipatory Grief: Its Measurement and Proposed Reconceptualization», *The Hospice Journal* 7, no. 4 (1991): 1-28; T. A. Rando, ed., *Loss and Anticipatory Grief* (Lexington, Mass.: D. C. Health, 1986); David M. Bass y Karen Bowman, «The Transition from

Caregiving to Bereavement: The Relationship of Care-Related Strain and Adjustment to Death», *The Gerontologist* 30, no. 1 (1990): 35-42.

3. Stuart Hample and Eric Marshall, eds., *Children's Letters to God: The New Collection* (Nueva York: Workman Publishing, 1991). En español *Cartas que los niños escriben a Dios*, Editorial Norma, 1995.

4. Oswald Chambers, *En pos de lo supremo* (Hay ediciones en español por CLC, Clie y Unilit).

5. Richard Foster, *The Freedom of Simplicity* (Nueva York: Harper & Collins, 1981), 7.

6. Ibíd. 11-12

7. Ibíd. 127.

Capítulo 3: ¿En qué consiste el proceso del duelo?

1. Elisabeth Kubler-Ross fue una de las primeras proponentes de la teoría conocida como *teoría de las etapas* (*On Death and Dying* [Nueva York: Macmillan, 1969]), aunque técnicamente lo que hizo fue tratar el asunto de enfrentar la enfermedad terminal y no el proceso del duelo en sí. Sigmund Freud en *Mourning and Melancholia* (Londres: Hogarth, 1917) fue el primero en usar la expresión de *tareas del duelo*, sugiriendo que la persona debiera hacerse cargo deliberadamente del proceso de luto. Teorías más recientes que dieron el paso de la teoría de las *etapas* a la teoría de las *tareas* las encontramos en Bowlby, *Attachment and Loss*; J. William Worden. *Grief Counseling and Grief Therapy*, segunda edición (Nueva York: Spring Publishing, 1990), así como en Colin Murray Parks, *Bereavement Studies of Grief in Adult Life* (Nueva York: International University Press, 1972). El libro de Kubler-Ross puede encontrarse en español como *Sobre la muerte y los moribundos*, publicado por Mondadori. La citada obra de Freud tiene numerosas ediciones en español, la primera, de 1924, con el título *La aflicción y la melancolía*. Probablemente la más reciente sea *Duelo y melancolía*, de 1972. De J. William Worden podemos encontrar *El tratamiento del duelo: asesoramiento psicológico y terapia*, Ediciones Paidós, Barcelona, 1991.

2. Wing-Tsit, trad. *The Way of Lao Tzu* (Indianapolis: Bobbs-Merrill Company, 1963), 214.

3. Theresa Rando, *Grief, Dying and Death: Clinical Interventions for Caregivers* (Chmpaign, Ill.: Research Press, 1984) y *Treatment of Complicated Mourning* (Champaign, Ill.: Research Press, 1993). Véase también J. William Worden, *Grief Counseling and Grief Therapy*, Segunda edición (Nueva York: Spring Publishing, 1990).

4. Lewis, *Grief Observed*, 49.

Capítulo 4: ¿Cómo puedes tomar las riendas de tu propio luto?

1. Además de este libro, quizá quiera pensar en leer el de Carol Staudacher, *A Time to Grieve: Meditations for Healing after the Death of a Loved One* (San Francisco: Harper San Francisco, 1994); Melba Colgrove, Harold H. Bloomfield y Peter McWilliams, *How to Survive the Loss of a Love* (Los Angeles: Prelude Press, 1991; en español existe con el título *Cómo sobrevivir a la pérdida de un amor*); Ruth Coughline, *Grieving: A Love Story* (San Francisco: Harper Perennial, 1994); y Earl A. Grollman, *Living When a Loved One Has Died* (Gilbert, Ariz: Beacon Press, 1987; en español, *Vivir cuando un ser querido ha muerto*, de Ed. 29, Barcelona, 1986).

Capítulo 5: ¿Cómo puedes proceder en tu duelo?

1. Para más información sobre los Servicios a las Personas Viudas, ponerse en contacto con las oficinas nacionales: Widowed Persons Services Progams and Information, c/c AARP (American Association of Retired Persons) [Programas de Servicios a las Personas Viudas de la Asociación Estadounidense de Jubilados], 601 E. Street, N. W., Washington, D. C. 20049; 202-434-2260. Para los no estadounidenses, Internet puede ser un buen punto de búsqueda de información, como www.vivirlaperdida.com.

2. Sidney Zisook y Stephen R. Shuchter, «Early Psychological Reaction to Stress of Widowhood», *Psychiatry* 54 (Noviembre 1991): 320-32

3. Genevieve Ginsburg, *Widow: Rebuilding Your Life* (Tucson: Fisher Books, 1995).

4. John Donne, «Devotions upon Emergent Occasions», sección 17, en *The Complete Poetry and Selected Prose of John Donne and the Complete Poetry of William Blake* (Nueva York: The Modern Library, 1941), 332. Ediciones 29, de Barcelona, publicó en 1986 las *Obras Completas* de Donne en edición bilingüe.

Capítulo 6: ¿Cómo afecta el sexo a tu duelo?

1. Véase la explicación de este asunto que hacen Ira Glick, Robert Weiss y Collin Murray Parks en *The First Year of Bereavement* (Nueva York: John Wiley & Sons, 1974); y Sarah Brabant, et al., «Grieving Men: Thoughts, Feelings and Behaviors Following Deaths of Wives», *The Hospice Journal* 8, no. 4 (1992): 33-47.

2. Stephen R. Shuchter y Sidney Zissook, «Treatment of Spousal Bereavement: A Multidimensional Approach», *Psychiatric Annuals* 16 (1986): 295-305; y Carol Staudacher, *Men and Grief* (Oakland, Calif.: New Harbinger, 1991).

3. Glick, Weiss y Parks, *The First Year of Bereavement.*

4. Zisook y Shuchter, «Stress of Widowhood», 320-33; y Staudacher, *Men and Grief.*

5. Glick, Weiss y Parks, *First Year of Bereavement.*

6. Ginsburg, *Widow*; y L. Levy, K. Martin Kouck y J. Derby, «Differences in Patterns of Adaptation in Conjugal Bereavement: Their Sources and Potential Significance», *Omega* 29, no. 1 (1994): 71-87.

Capítulo 7: ¿Cómo seguir siendo padre en medio del duelo?

1. Para niños pequeños véase el libro de Leo Buscaglia, *The Fall of Freddie the Leaf* (Thorofare, N. J.: Slack, Inc., 1982; en español, *La caída de Freddie la hoja*); Jill Krementz, *How It Feels When a Parent Dies* (Nueva York: Alfred A. Knopf, 1996); Carol Nystrom, *What Happens When We Die?* (Chicago: Moody Press, 1992); y Earl Grollman, *Talking about Death with Children: A Dialogue between Parent and Child*, tercera edición (Boston: Beacon Press, 1990). Para hijos mayores véase Hope Edelman, *Motherless Daughters* (Nueva York: Adisson-Wesley, 1994); y Earl Grollman, *Bereaved Children and Teens* (Boston: Beacon Press, 1995).

Capítulo 8: ¿Y los asuntos financieros y laborales?

1. Staudacher, *Men and Grief*; y Nini Leich y Marianne Davidson-Nielson, *Healing Pain: Attachment, Loss and Grief Therapy* (Nueva York: Rouledge, 1991).

Capítulo 9: ¿Qué es «la otra cara del duelo»?

1. «Comes the Dawn», un poema anónimo citado en el libro de Maureen Burns, *Forgiveness: A Gift You Give Yourself* (Greenville, Mich.: Empey Enterprises, 1992), 117.

2. Estas estadísticas proceden de la Oficina del Censo de los Estados Unidos de América y de Adele Nudel, *Starting Over: Help for Young Widows and Widowers* (Nueva York: Dodd, Meads, 1986).

3. C. S. Lewis, *The Four Loves* (Nueva York: Harcourt Brace Jovanovich, 1960; en español, *Los cuatro amores*, RIALP, Madrid, 1994), 169.

Susan J. Zonnebelt-Smeenge es parte del equipo de psicólogos de los Servicios de Salud Mental Pine Rest, en Grand Rapids, Michigan. Su responsabilidad incluye la realización de pruebas psicológicas, la psicoterapia individual, conyugal y familiar, así como la supervisión de los internos en sus prácticas y del personal clínico no titulado. Es responsable asimismo de la coordinación clínica de los servicios de psicoterapia. Es psicóloga, trabajadora social y enfermera titulada. Estudió y se graduó en la Escuela Aquinas y en la Escuela de Enfermería Mercy de Grand Rapids. Completó estudios avanzados de Maestría en la Western Michigan University.

Robert C. De Vries es profesor de Educación Cristiana y director del programa de Maestría en el Calvin Theological Seminary, de Grand Rapids, Michigan. Es pastor ordenado de la Iglesia Cristiana Reformada (CRC). Escribe con frecuencia para diversos periódicos y revistas evangélicas y para las publicaciones de CRC. Cursó estudios y se graduó del Calvin College y Calvin Theological Seminary. Sus estudios superiores incluyen un doctorado en Educación de Adultos por la Universidad del Estado de Michigan y un doctorado en Administración de la Iglesia por el Seminario Teológico McCormick de Chicago.

Susan y Robert dirigen juntos seminarios y conferencias sobre el proceso del duelo.